ARTE IBERICO

ARTE

M. TARRADELL

IBERICO

EDICIONES POLIGRAFA, S. A.

BIBLIOTECA DE ARTE HISPANICO

EDICIONES POLIGRAFA, S. A.

Balmes, 54 - Barcelona-7 (España)

Director de la Colección   JUAN PERUCHO

Fotografías   CATALA ROCA

Maqueta y compaginación   JUAN PEDRAGOSA

SUMARIO

Hacia la comprensión del Arte ibérico	32
La civilización ibérica	120
Sociología del Arte ibérico	160
Indice de obras	236
Bibliografía	246

© Ediciones Polígrafa, S. A. - Depósito Legal: B. 35.001 - 1968 - Printed in Spain

CONTENTS

Towards an understanding of Iberian art   32

Iberian civilization   120

The sociology of Iberian art   160

Index of works   236

Bibliography   246

SOMMAIRE

Vers une compréhension de l'art ibérique   33

La civilisation ibérique   121

Sociologie de l'art ibérique   161

Table de reproductions   237

Bibliographie   247

INHALT

Zum Verständnis der iberischen Kunst   33

Die iberische Zivilisation   121

Die Gesellschaftslehre der iberischen Kunst   161

Verzeichnis der Werke   237

Bibliographie   247

El día 4 de agosto de 1897 unos campesinos que preparaban nuevos campos en el lugar denominado La Alcudia, próximo a Elche, donde se asentó una importante ciudad ibérica y después romana, hallaron una escultura, un busto femenino que fue bautizado (siguiendo la tradición popular del país) con el nombre de «La Reina Mora». Aunque no se trata de ningún retrato real, como tantos reyes auténticos tomó pronto el camino del exilio. Pues aunque las personas cultas de la localidad se dieron cuenta rápidamente de que se trataba de una excepcional pieza de arte, un destacado arqueólogo francés consiguió adquirirla antes de la intervención oficial de Madrid. Trasladada a Francia y expuesta en el Louvre, la «Dama de Elche» con su nuevo nombre, que ha resultado el definitivo, consiguió despertar la curiosidad y el interés hacia un arte que hasta entonces había sido prácticamente desconocido: el arte ibérico.

Así se abrió un nuevo capítulo en la historia del arte del Mediterráneo occidental. La revelación espectacular había aparecido en el momento oportuno. El medio siglo que ha visto el descubrimiento del arte ibérico ha sido precisamente el que ha abierto la sensibilidad europea a las artes producidas fuera de su ámbito. Desde valorar las crea-

On August 4th of 1897, when some peasants were preparing new fields in a place known as La Alcudia, near Elche, where there had been important settlements in Iberian, and later in Roman, times, they found a sculpture, a female bust, to which (following the popular tradition of the district) they gave the name of «The Moorish Queen». Although not, in fact, a royal portrait, like so many real monarchs it was very soon exiled. For though the more cultured people of the locality quickly realized that it was an exceptional work of art, an eminent French archaeologist managed to acquire it before Madrid could intervene officially. Carried off to France and exhibited in the Louvre, the «Lady of Elche», with her new name, which has since then been the accepted one, succeeded in arousing curiosity about, and interest in, an art which had until then been practically unknown: Iberian art.

Thus opened a new chapter in the history of the art of the western Mediterranean. This spectacular revelation had come at the most opportune of moments. The half century which has seen the discovery of Iberian art is the same which has alerted European sensibilities to the arts produced beyond their confines. From appreciating the creations of the Far East to appreciating those of negro art, as regards very distant

Le 4 août 1897, des paysans qui préparaient de nouveaux champs au lieu dit La Alcudia, près d'Elche, où avait existé une importante ville ibérique puis romaine, trouvèrent une sculpture, un buste de femme qui fut baptisé (conformément à la tradition populaire du pays) du nom de «la Reine Maure». Quoiqu'il ne s'agissait pas d'une figure royale, elle prit rapidement, comme tant de rois authentiques, le chemin de l'exil. En effet, et bien que les personnes cultivées de la localité se fussent très vite rendu compte qu'il s'agissait d'une œuvre d'art exceptionnelle, un célèbre archéologue français réussit à l'acquérir avant que Madrid n'intervinsse officiellement. Transportée à Paris et exposée au Louvre, la «Dame d'Elche», de son nouveau nom qu'elle a gardé définitivement, réussit à attirer la curiosité et l'intérêt sur un art qui avait été jusqu'alors pratiquement méconnu: l'art ibérique.

Ainsi s'ouvrit un nouveau chapitre de l'histoire de l'art de la Méditerranée occidentale. La spectaculaire révélation se produisit au moment opportun. Le demi-siècle qui a vu la découverte de l'art ibérique est précisément celui qui a éveillé la sensibilité européenne pour les arts produits hors de son milieu. Depuis les valeurs des créations de l'Extrême-

In einer Ortschaft in der Nähe von Elche, La Alcudia genannt, wo früher einmal eine iberische Siedlung und später auch eine römische Stadt bestanden hat, wurde am 4. August des Jahres 1897 von einigen Bauern bei der Bestellung ihrer dortliegenden Äcker, eine weibliche Büste gefunden, die (dem Volksbrauch der Gegend folgend) den Namen «La Reina Mora» (Die Maurische Königin) erhielt. Obzwar es sich um kein königliches Bildnis handelte, trat es dennoch, wie so viele wirkliche Könige, den Weg ins Exil an, trotzdem die gebildeten Leute des Ortes bald erkannten, dass es sich um ein aussergewöhnliches Kunstwerk handelte. Aber es gelang einem berühmten französischen Altertumsforscher diese Büste, noch vor dem offiziellen Zugriff von Madrid, zu erwerben. Nach Frankreich gebracht, wurde sie im Louvre ausgestellt und unter dem neuen Namen «Dama de Elche» bald Weltbekannt. Dieses Kunstwerk zog bald die Aufmerksamkeit auf eine Kunstrichtung an, die bisher praktisch unbekannt war: Die iberische Kunst.

Somit wurde ein neues Kapitel in der Kunstgeschichte des westlichen Mittelmeeres eingeleitet. Die aufsehenerregende Entdeckung geschah im passenden Augenblick. Die Entdeckung der iberischen Kunst fiel gerade mit dem halben Jahrhundert zusammen, welches die europäische

1. Orante. Figurita de bronce procedente del Santuario de Castillar de Santisteban, provincia de Jaén. Museo de Arqueología de Barcelona.

1. *Orant. Bronze figurine from the sanctuary of Castillar de Santisteban, in the province of Jaén. Archaeological Museum of Barcelona.*

1. Orant. Figurine de bronze provenant du Sanctuaire de Castillar de Santisteban, province de Jaén. Musée d'Archéologie de Barcelone.

1. *Betende. Kleine Bronzefigur aus dem Heiligtum von Castillar de Santisteban, Provinz Jaén. Museo de Arqueología, Barcelona.*

ciones del Extremo Oriente hasta las del arte negro, en lo que se refiere a espacios geográficos alejados, y desde la pintura de las cavernas del paleolítico hasta las producciones de los grandes estados del Próximo Oriente en lo que concierne a civilizaciones muertas, desde fines del siglo pasado se han aceptado toda clase de sugerencias estéticas venidas de lejanos países o de lejanos siglos —o milenios—. Todo ha sido asimilado procurando incorporarlo a la savia creadora que hasta entonces se había nutrido exclusivamente de la propia tradición, cerrada a los impulsos exteriores, y sólo se había aceptado del mundo antiguo el legado del arte clásico grecorromano.

La tremenda aventura del arte moderno no se acabaría de explicar sin tener en cuenta este fenómeno y es bien sabido el impacto que las revelaciones de las artes extraeuropeas tuvieron en su génesis.

La trayectoria del descubrimiento del arte ibérico se inscribe dentro de esta línea. Es significativo el cambio que en muy pocos años se experimenta. Porque la Dama de Elche no fue la primera pieza importante descubierta, aunque sí la de más categoría, como sigue siéndolo hoy.

geographical areas, and from the cave paintings of the paleolithic era to the products of the great states of the Near East, if we consider the question of the dead civilizations, ever since the end of the last century acceptance has been given to every kind of aesthetic suggestion, whether it came from far-off countries or from far-off centuries— or millenia. They have all been assimilated by endeavouring to make them part of the creative sap which had until then come exclusively from its own tradition, closed to outside impulses, and which had only accepted from the ancient world the heritage of classical Greco-Roman art. The tremendous adventure of modern art could not be fully explained without taking this phenomenon into account, and everybody knows the impact which the revelations of non-European arts had on its genesis.

The trajectory of the discovery of Iberian art was described within this line. It is significant to observe the change that had come about in a very few years. For the Lady of Elche was not the first important piece to be discovered, though it was the most important of all, as it still is today.

About the year 1870 a series of stone sculptures, proceeding from an Ibérian sanctuary popularly known as the «Cerro de los Santos»,

2. Guerreros. Detalle de la pintura de un vaso de la necrópolis de Oliva (Valencia). Museo de Arqueología de Barcelona.

3. Guerreros. Detalle de un vaso del poblado de San Miguel de Liria, Valencia. Museo de Prehistoria de Valencia.

2. *Warriors. Detail of the painting of a vase from the necropolis of Oliva (Valencia). Archaeological Museum of Barcelona.*

3. *Warriors. Detail of a vase from the settlement of San Miguel de Liria, Valencia. Prehistory Museum of Valencia.*

Orient jusqu'à celles de l'art nègre, en ce qui concerne les espaces géographiques lointains, et depuis la peinture des cavernes du Paléolithique jusqu'aux productions des grands états du Proche-Orient, en ce qui concerne les civilisations mortes, l'on a accepté toutes sortes de suggestions esthétiques venues de pays ou de siècles —parfois de millénaires— lointains. Tout a été assimilé, incorporé à la sève créatrice qui s'était nourrie jusqu'alors et exclusivement de tradition propre, fermée aux influences étrangères; du monde antique, on n'avait accepté que l'apport de l'art classique gréco-romain. La fantastique aventure de l'art moderne ne pourrait s'expliquer totalement si l'on ne tenait pas compte de ce phénomène; nul n'ignore le choc que produisirent dans sa génèse les révélations des arts extra-européens.

La trajectoire de la découverte de l'art ibérique s'inscrit dans cette ligne. Le changement qui se produit en peu d'années est significatif. En effet, la Dame d'Elche ne fut pas la première pièce importante découverte, quoiqu'elle eût été, et est encore, celle de plus grande catégorie.

Vers 1870 furent découvertes, à proximité de Montealegre del Castillo, au sud-est de la

Empfindsamkeit für diejenigen Kunstwerke wachrief, die ausserhalb ihres Bereiches entstanden. Von der Bewertung der Schöpfungen des Fernen Ostens bis zu denen des schwarzen Erdteils —was die fernen geographischen Räume betrifft— und von der Höhlenmalerei des Paläolithikums bis zu den Werken der grossen Länder des Nahen Ostens —was die toten oder vergangenen Kulturen betrifft— hat man seit dem Ende des vorigen Jahrhunderts sämtliche kunstwissenschaftliche Anregungen akzeptiert, die von fernen Ländern, Jahrhunderten oder gar Jahrtausenden überkamen. Alles wurde angeglichen und man versuchte es der Schöpfungskraft einzuverleiben, die bis dahin aus der eigenen Tradition schöpfte, welche bisher allen fremden Trieben verschlossen blieb und von der antiken Welt nur das Erbe der klassischen griechischrömischen Kunst aufnahm. Das ungeheuere Abenteuer der modernen Kunst könnte nicht erklärt werden, wenn man nicht dieses Phänomen in Betracht ziehen würde, denn der Einschlag, den die Offenbarungen der aussereuropäischen Kunst auf den Ursprung jener gemacht haben, ist wohl bekannt.

Der Verlauf der Entdeckung der iberischen Kunst kann ebenfalls in diese Linie eingereiht werden, während der Umschwung sehr bezeichnend ist, den man seit einigen Jahren spürt, denn die Büste der «Dama de Elche» ist nicht das erste

14

4. Jinete. Figurita de bronce del Santuario de La Luz, Murcia. Museo de Arqueología de Barcelona.
5. Exvoto en piedra del Santuario del Cerro de los Santos, Montealegre del Castillo, Albacete. Museo Arqueológico Nacional de Madrid.
6. Cabeza de león, de piedra. Procede de Manga (Granada). Museo Arqueológico de Córdoba.
7. Cabeza de una oferente del Cerro de los Santos. Museo Arqueológico Nacional de Madrid.

4. *Rider. Bronze figurine from the sanctuary of La Luz, Murcia. Archaeological Museum of Barcelona.*
5. *Votive offering in stone, from the sanctuary of the Cerro de los Santos, Montealegre del Castillo, Albacete. National Archaeological Museum, Madrid.*
6. *Lion's head in stone. From Manga (Granada). Archaeological Museum of Cordova.*
7. *Head of an offerer, from the Cerro de los Santos. National Archaeological Museum, Madrid.*

En torno a 1870 se descubrieron en las proximidades de Montealegre del Castillo —en la parte sudeste de la provincia de Albacete— una serie de esculturas de piedra procedentes de un santuario ibérico, el llamado popularmente «Cerro de los Santos». Se trataba de un lote numeroso, revelador de un mundo estético desconocido, que pronto fue relacionado con la civilización ibérica y despertó la atención de los especialistas españoles. Pues bien, su presentación internacional fue un fracaso. Los vaciados que se enviaron a las exposiciones internacionales de Viena en 1873 y de París en 1878 fueron muy fríamente recibidos. Los entendidos dudaron de su autenticidad y se molestaron bien poco en comprobarla, porque, en definitiva, juzgaron que no merecía la pena. La reacción, un cuarto de siglo después, fue muy distinta. El ambiente había cambiado, el ángulo de capacidad de comprensión se había abierto.

Los descubrimientos llegaron, precisamente, en el momento en que podrían entrar sin reservas en las nuevas series de la historia del arte que entonces se ampliaban vertiginosamente. Y sucedió en un momento determinado porque en arte, como en ciencia, *sólo se halla lo que se busca* y porque de la misma manera que los frutos de la Naturaleza ma-

or «Hill of the Saints», was discovered in the vicinity of Montealegre del Castillo, in the southeast of the province of Albacete. It was a very rich find, revealing an unknown aesthetic world, but one which was soon established as being related to Iberian civilization, and it aroused the attention of the Spanish specialists. Its international presentation, however, was a failure. The plaster casts which were sent to the international exhibitions of Vienna in 1873 and Paris in 1878 met with a very cold reception. The experts cast doubt on their authenticity and took very few pains to check it because, in short, they deemed it hardly worthwhile. But the reaction just a quarter of a century later was very different. The atmosphere had changed, the angle of capacity of comprehension had widened.

The discoveries came at the very moment at which they could, without reserve, be accepted as part of the new series of the history of art which were then increasing at dizzying speed. And it happened at a particular moment because in art, as in science, you only find what you look for and because, in the same way as the fruits of nature ripen at particular times of the year, the births and discoveries in culture occur in cycles which are in tone with the flavour of their periods. How can we doubt that

4. Cavalier. Figurine de bronze du Sanctuaire de La Luz, Murcie. Musée d'Archéologie de Barcelone.
5. Ex-voto en pierre du Sanctuaire du Cerro de los Santos, Montealegre del Castillo, Albacete. Musée Archéologique National de Madrid.
6. Tête de lion, en pierre. Provient de Manga (Grenade). Musée Archéologique de Cordoue.
7. Tête d'offrante du Cerro de los Santos. Musée Archéologique National de Madrid.

4. Reiter. Kleine Bronzefigur aus dem Heiligtum von Luz (Murcia). Museo de Arqueología, Barcelona.
5. Votivgabe aus Stein aus dem Heiligtum vom Cerro de los Santos in Montealegre del Castillo (Albacete). Museo Arqueológico Nacional, Madrid.
6. Löwenkopf aus Stein. Stammt aus Manga (Granada). Museo Arqueológico, Córdoba.
7. Kopf einer Opfernden aus dem Cerro de los Santos. Museo Arqueológico Nacional, Madrid.

province d'Albacete, une série de sculptures de pierre provenant d'un sanctuaire espagnol appelé par le peuple «Colline des Saints». Il s'agissait d'un lot abondant, révélateur d'un monde esthétique inconnu, que l'on rattacha très vite à la civilisation ibérique et qui éveilla l'attention des spécialistes espagnols. Cependant, sa présentation internationale fut un échec. Les copies de plâtre envoyées aux expositions internationales de Vienne, en 1873, et de Paris, en 1878, furent reçues très froidement. Les connaisseurs mirent en doute leur authenticité et se préoccupèrent bien peu de la vérifier, parce qu'en définitive ils jugèrent que ce n'en valait pas la peine. Un quart de siècle plus tard, la réaction fut toute autre. L'ambiance avait changé, l'angle de capacité de compréhension s'était dilaté.

Les découvertes arrivèrent juste au moment où elles pouvaient s'inscrire sans réserves dans les nouvelles séries de l'histoire de l'art qui se développaient alors vertigineusement. Ce fut en un moment déterminé, parce qu'en art comme en sciences *on ne trouve que ce que l'on cherche* et que, de la même façon que les fruits de la nature mûrissent à certaines époques de l'année, dans le domaine de la culture les naissances ou découvertes sont signalées par des cycles qui coïncident avec

bedeutende Stück, welches entdeckt wurde, wohl aber das bisher Bedeutendste.

In der Umgebung von Montealegre del Castillo —im südöstlichen Teil der Provinz Albacete— wurden um das Jahr 1870 herum zahlreiche Steinskulpturen gefunden, die aus einer iberischen Weihstätte, im Volksmund «Cerro de los Santos» genannt (Heiligenhügel), stammten. Es handelt sich um einen grossen Posten von Kunstwerken, die uns eine unbekannte kunstwissenschaftliche Welt enthüllen, die sehr bald mit der iberischen Kultur in Zusammenhang gebracht wurde und die Aufmerksamkeit der spanischen Fachleute auf sich zog. Trotzdem wurde die internationale Bekanntgabe ein Misserfolg. Die Abgüsse, die man 1873 auf die Internationale Ausstellung in Wien sandte, sowie die, die 1878 nach Paris gingen, wurden sehr kühl aufgenommen. Die Fachleute zweifelten ihre Echtheit an und bemühten sich auch nicht diese festzustellen, weil sie meinten, dass es sich nicht lohnen würde. Die ein viertel Jahrhundert später stattfindende Reaktion war eine ganz andere. Das Milieu war ein anderes geworden und das Aufnahmevermögen und Kunstverständnis waren offener.

Die Entdeckungen wurden gerade zu einem Zeitpunkt gemacht, zu dem man sie rückhaltlos

duran en determinadas estaciones del año, en la cultura los nacimientos o descubrimientos vienen señalados por ciclos que encajan con la esencia de las épocas. ¿Qué duda cabe que mucho antes debían haberse hallado piezas ibéricas? Pero ni los sabios del Renacimiento, ni los eruditos del siglo XVIII estaban preparados para valorarlos, y los dejaron escapar, absorbidos en su interés exclusivo por el arte romano, el único que despertaba emoción de todos los que habían existido en territorio peninsular durante la época antigua. No nos asombremos. Basta recordar cómo fueron recibidos por los estudiosos los relieves del Partenon cuando llegaron al British Museum, en una fecha no tan lejana al momento en que se comenzó a fijar la atención sobre lo ibérico. Sólo situándolo dentro de las corrientes generales podemos, pues, explicar el proceso de descubrimiento y valoración de este arte.

Sin embargo cabe señalar que, a pesar de todo, casi un siglo después de su revelación, el arte ibérico no ha alcanzado el grado de divulgación que, *a priori*, hubiera sido previsible. Sigue siendo, de modo inexplicable, un capítulo del arte reservado a un círculo muy estrecho de conocedores. En España mismo, donde parece que su presencia de-

4

Iberian pieces must have been discovered long before? But neither the scholars of the Renaissance nor the savants of the 18th century were prepared to appreciate them, and they let them slip through their fingers, absorbed by their exclusive interest in Roman art, the only art which aroused any excitement of all that had existed in the Peninsula in ancient times. This need not surprise us. Let us only remember how the experts received the reliefs of the Parthenon when they arrived at the British Museum, at a date not

8. Détail d'un vase peint de San Miguel de Liria, Valencia. Musée de Préhistoire de Valencia.
9. Cavalier. Figurine de bronze du Sanctuaire de La Luz, Murcie. Musée d'Archéologie de Barcelone.
10. Tête masculine, terre cuite. Dévouverte récemment dans les excavations de la ville ibéro-romaine du Tossal de Manises, Alicante. Musée Archéologique d'Alicante.

8. Detail einer bemalten Vase aus San Miguel de Liria (Valencia). Museo de Prehistoria, Valencia.
9. Reiter. Kleine Bronzefigur aus dem Heiligtum von Luz, Murcia. Museo de Arqueología, Barcelona.
10. Männerkopf aus Terrakotta. Kürzlich bei den Ausgrabungen in der ibero-römischen Stadt von Tossal de Manises (Alicante) gefunden. Museo Arqueológico, Alicante.

10

in die neuen Reihen der Kunstgeschichte einfügen konnte, die damals mit rasender Schnelligkeit erweitert wurden. Und dieses vollzog sich zu einem ganz bestimmten Zeitpunkt, denn sowohl in der Kunst als auch in der Wissenschaft, wird nur das gefunden was man sucht und weil, genau wie die Früchte zu einer ganz bestimmten Jahreszeit reifen, die Entdeckungen der Zivilisation ebenfalls bestimmten Zyklen unterliegen, die sich dem Wesen des Zeitalters anpassen. Sicherlich wurden schon viel früher iberische Kunstwerke gefunden, aber weder die Gelehrten der Renaissance noch die des XVIII.

l'essence des époques. On avait certainement dû trouver bien avant des pièces ibériques. Mais ni les savants de la Renaissance ni les érudits du XVIIIème siècle n'étaient préparés pour les apprécier, et ils les négligèrent, absorbés comme ils l'étaient par leur intérêt exclusif pour l'art romain, le seul de tous ceux qui avaient existé sur le territoire de la péninsule durant l'époque antique qui éveillât leur émotion. Ne nous en étonnons pas. Il suffit de se souvenir de quelle façon furent reçus par les érudits les bas-reliefs du Parthénon quand ils arrivèrent au British Museum en une date pas si lointaine du moment où l'attention commença à se porter sur l'art ibérique.

Jh. waren dazu vorbereitet diese zu bewerten und liessen sie daher achtlos beiseiteliegen, ganz ausschliesslich von dem Interesse befangen, welches sie für die römische Kunst hegten, die für sie die einzige unter den vielen anderen Kunstrichtungen des Altertums war, die sie auf dem gesamten Gebiet der spanischen Halbinsel in Begeisterung versetzen konnte. Darüber darf man sich nicht wundern, denn man braucht nur daran zu denken, dass die Gelehrten die Reliefs des Parthenon im Britischen Museum zu der gleichen Zeit erhielten, als man auf das Iberische aufmerksam wurde. Nur wenn man die iberische Kunst in die allgemeinen Strömungen einfügt, kann man den Prozess der Entdeckung und der Bewertung derselben erklären.

8. Detalle de un vaso pintado de San Miguel de Liria, Valencia. Museo de Prehistoria de Valencia.

9. Jinete. Figurita de bronce del Santuario de La Luz, Murcia. Museo de Arqueología de Barcelona.

10. Cabeza masculina, terracotta. Recién descubierta en las excavaciones de la ciudad íbero-romana del Tossal de Manises, Alicante. Museo Arqueológico de Alicante.

8. *Detail of a painted vase from San Miguel de Liria, Valencia. Prehistory Museum of Valencia.*

9. *Rider. Bronze figurine from the sanctuary of La Luz, Murcia. Archaeological Museum of Barcelona.*

10. *Man's head in terracotta. Recently discovered in the excavations of the Ibero-Roman city of El Tossal de Manises, Alicante. Archaeological Museum of Alicante.*

biera haber alcanzado una relativa popularidad por lo menos entre los amplios círculos cultos o que viven las inquietudes artísticas, se mantiene como patrimonio de pocos, de demasiados pocos.

¿Por qué? En primer lugar porque existe en el ambiente una cierta inercia, o si se quiere pereza mental, que obliga a las novedades a abrirse paso con mayor lentitud de lo que podría esperarse, incluso cuando soplan a su favor los vientos de la época. Los estudios y escritos sobre arte ibérico han quedado hasta ahora demasiado limitados al área de los especialistas, que han sido casi siempre arqueólogos, ya que los sucesivos descubrimientos de las piezas se han producido gracias a los esfuerzos de la arqueología. De ahí resulta que es difícil hallar estudios de arte ibérico enfocado desde un punto de vista estético y estilístico, en tanto que es frecuente verle tratado desde el ángulo de los arqueólogos, que centran sus preocupaciones en cuestiones de cronología, de influencias, etc. Cabe decir, asimismo, que para comprender a fondo el fenómeno artístico ibérico es preciso, claro está, poseer un mínimo de información sobre las gentes que lo crearon. Ya ha pasado el tiempo en que las producciones artísticas podían intentar com-

so far removed from the moment when Iberian art first began to attract attention. Only by situating it, therefore, within the general currents can the process of discovery and appreciation of this art be explained.

It should be pointed out, however, that, in spite of everything, almost a century after its revelation Iberian art has still not attained the degree of popularization which might a priori have been foreseen for it. It is still, inexplicably, a chapter of art reserved for a very small circle of connoisseurs. In Spain itself, where it would seem that its presence should have achieved relative popularity among wider cultured circles or among those interested in artistic trends, it is still the patrimony of few, of far too few.

And why is this? In the first place because there is a certain inertia in the air, or, if you prefer, a mental laziness, which obliges novelties to make their way at a slower pace than might be expected, even when the winds of the period are blowing in their favour. Studies and writings on Iberian art have hitherto been too much limited to the area of specialists, who have almost always been archaeologists, since the successive discoveries of the pieces have been made thanks to the efforts of archaeology. Hence it is difficult to find studies of Iberian art made from

C'est seulement en le situant dans les courants généraux que nous pouvons expliquer le processus de découverte et de mise en valeur de cet art.

Il faut toutefois signaler que presque un siècle après sa révélation, l'art ibérique n'a pas atteint le degré de divulgation que l'on aurait pu prévoir à priori. Il reste, inexplicablement, un chapitre de l'art réservé à un cercle très réduit de connaisseurs. En Espagne même, où il semble que sa présence devrait avoir atteint une popularité relative, du moins dans les vastes milieux cultivés ou qui ressentent les inquiétudes artistiques, il reste le patrimoine de peu, de trop peu de personnes.

Pourquoi? D'abord, parce qu'il existe dans l'ambiance une certaine inertie, ou paresse mentale si l'on veut, qui oblige les nouveautés à se frayer chemin bien plus lentement qu'on ne pourrait l'espérer, même lorsque les vents de l'époque soufflent en leur faveur. Les études et les textes sur l'art ibérique sont restés jusqu'ici dans les limites du monde des spécialistes, qui sont presque toujours des archéologues, du fait que les découvertes de pièces sont dues aux efforts de l'archéologie. Il en résulte qu'il est difficile de trouver des études sur l'art ibérique partant d'un point de vue

Trotzdem muss gesagt werden, dass, obwohl seit der Entdeckung der iberischen Kunst fast ein ganzes Jahrhundert vergangen ist, diese nicht die Verbreitung erfahren hat, die vorauszusehen gewesen wäre. Unerklärlicherweise ist sie, nach wie vor, ein Kapitel der Kunstgeschichte, das nur einem ganz kleinen Kreis von Kennern vorbehalten scheint. Selbst in Spanien, wo diese Funde eigentlich innerhalb weiter gebildeter Kreise oder unter denen, die von künstlerischer Unruhe getrieben werden, eine gewisse Volkstümlichkeit hätten erreichen müssen, sind sie nur Stammgut einiger weniger, viel zu weniger Leute.

Warum eigentlich? In erster Linie, weil im Milieu selbst eine gewisse Trägheit oder besser gesagt, eine gewisse Denkfaulheit herrscht, die alles Neue zwingt sich langsamer als zu erwarten wäre, Bahn zu brechen, selbst dann, wenn ein für sie günstiger Wind der Zeit weht. Die Studien und Beschreibungen der iberischen Kunst sind bisher nur auf ein ganz kleines Fachgebiet beschränkt geblieben, dem meistens nur Altertumsforscher zugehörten, zumal die später gemachten Entdeckungen iberischer Kunstwerke nur diesen zu verdanken waren. Daher wird man auch schwerlich Studien finden, die die iberische Kunst vom kunstwissenschaftlichen und stilistischen Gesichtspunkt aus betrachten; da-

11. Detalle de la cabeza de un caballo. Piedra. Santuario del Cigarralejo de Mula, Murcia. Colección Emeterio Cuadrado. Madrid.

12. Relieve Almodóvar del Río. Museo de Córdoba.

11. *Detail of the head of a horse. Stone. Sanctuary of El Cigarralejo de Mula, Murcia. Emeterio Cuadrado Collection, Madrid.*

12. *Relief from Almodóvar del Río. Museum of Cordova.*

11

prenderse prescindiendo del ambiente histórico y social que las había producido, y se miraban como si fuesen productos de una especie de *robots* humanos, desvinculados del espacio, del tiempo y de toda preocupación socioeconómica. Pero ¿qué sabe de la civilización ibérica el hombre culto de nuestros días? Confesémoslo rápidamente: apenas nada. De ahí que será preciso, para entrar en el fenómeno estético, dedicar unas páginas a los problemas generales, de fondo, sobre la civilización ibérica.

the aesthetic and stylistic point of view, whereas it is quite common to see it treated from the angle of the archaeologists, who are mainly concerned with questions of chronology, influences, etc. We should say, moreover, that in order to have a thorough understanding of the Iberian artistic phenomenon it is, of course, essential to have a minimum of information about the peoples who produced it. The time has passed when one could attempt to comprehend artistic productions while dispensing with the historical and social environment which had produced them, and they were considered as though they were the products of a kind of human robots, disconnected from space, time or any sort of socioeconomic considerations. But what does the normally cultured man of today know about Iberian civilization? Let us hasten to confess that he hardly knows anything. And that is why it will be necessary, before speaking of the artistic phenomenon, to devote some pages to the general, fundamental problems relating to Iberian civilization.

In another direction there has been another method of looking at this problem, one which is less common but which does exist. In an attempt to avoid dry-as-dust *archaeology, some have tried to solve the problem of Iberian art with the concoction of a cocktail which contains, in*

11. Détail de la tête d'un cheval. Pierre. Sanctuaire du Cigarralejo de Mula, Murcie. Collection Emeterio Cuadrado, Madrid.
12. Relief Almodóvar del Río, Musée de Cordoue.

11. Detail eines Pferdekopfes aus Stein. Heiligtum von Cigarralejo de Mula (Murcia). Sammlung Emeterio Cuadrado. Madrid.
12. Relief aus Almodóvar del Río. Museum von Córdoba.

esthétique ou stylistique, alors qu'il est fréquent de le voir traité du point de vue des archéologues, qui centrent leurs préoccupations sur des problèmes de chronologie, d'influences, etc. Il faut ensuite reconnaître que pour comprendre à fond le phénomène artistique ibérique, il est naturellement nécessaire de posséder un minimum d'information sur les gens qui l'ont créé. Le temps est révolu où l'on pouvait prétendre comprendre les créations artistiques sans tenir compte du contexte historique et social qui les ont produites, et où on les considérait comme engendrées par une espèce de robots humains détachés de l'espace, du temps et de tout souci socio-économique. Mais que sait l'homme cultivé de nos jours de la civilisation ibérique? Disons-le très vite: à peine rien. Il sera donc nécessaire, pour pénétrer le phénomène esthétique, de consacrer quelques pages aux problèmes généraux, de fond, relatifs à la civilisation ibérique.

D'autre part, il y a eu une autre façon d'envisager le problème: moins fréquente, elle n'en existe pas moins. S'écartant de l'archéologie dominante, on a tenté de résoudre le problème de l'art ibérique en fabriquant un cocktail où entrent, convenablement dosées, des références au «baroque espagnol», à la

gegen kann man aber manches finden, das vom Standpunkt der Altertumsforscher erläutert wird, die aber ihrerseits wieder ihre Bemühungen auf die Fragen der Chronologie und der Einflüsse richten. Freilich muss hierzu bemerkt werden, dass man notwendigerweise über ein Minimum an Kenntnissen der Menschen verfügen muss, die diese Kunst geschaffen haben, um das Phänomen der iberischen Kunst verstehen zu können. Die Zeiten sind vorbei in denen man getrachtet hat, die Kunstwerke, unabhängig von der geschichtlichen und gesellschaftlichen Umwelt her zu verstehen und sie nur als das Erzeugnis von einer Art menschlicher Roboter zu betrachten, die von Zeit, Raum und jeglicher volkswirtschaftlicher Sorge enthoben sind. Aber, was weiss der heutige gebildete Mensch noch von der iberischen Kultur? Sein wir doch ganz ehrlich: fast gar nichts. Daher ist es notwendig, bevor wir in das kunstwissenschaftliche Phänomen der iberischen Kunst eingehen, einige Seiten den allgemeinen Problemen der iberischen Zivilisation zu widmen.

Auf der anderen Seite gab es schon ein anderes System der Einstellung, das zwar weniger gebraucht, dennoch bestand. Um dem packenden Archäologismus zu entfliehen, hat man versucht das Problem der iberischen Kunst derart zu lösen, dass man einen Cocktail mischte in

13. Tapadera de vaso pintado de San Antonio de Calaceit.
14. Vaso pintado. Museo Arqueológico de Barcelona.
15. Vaso pintado, de la forma llamada kalathos o «sombrero de copa».
16. Tapadera de vaso pintado de San Antonio de Calaceit.

13. *Cover of a painted vase, from San Antonio de Calaceit.*
14. *Painted vase. Archaeological Museum of Barcelona.*
15. *Painted vase, in the shape known as kalathos or «top hat».*
16. *Cover of a painted vase, from San Antonio de Calaceit.*

Por otra parte ha habido otro sistema de enfoque, menos frecuente, pero no inexistente. Para huir del arqueologismo impetrante, se ha intentado resolver el problema del arte ibérico fabricando un *cocktail* en el que entran, convenientemente dosificadas, referencias al «barroco español», a la tauromaquia, a Picasso y quizá también a Dalí, con alguna que otra cita de paso a los grandes pintores castellanos y andaluces de la época de los Austrias. Los matices de la españolada son desoladoramente infinitos, pero resultan exportables al norte de los Pirineos con facilidad asombrosa. Además, se cubre, de cara adentro, el mito de la «España eterna». No hace falta insistir que este género de ensayismo superficial no facilita la comprensión del arte ibérico, ni ayuda —digamos de paso— a la comprensión de nada.

suitable proportions, references to «Spanish baroque», tauromachy, Picasso and perhaps Dalí, with a passing reference or two to the great Castilian and Andalusian painters of the time of the House of Austria. The nuances of this «Spanish show» are maddeningly infinite, but they are accepted north of the Pyrenees with astonishing ease. Besides, within the country itself, this provides for the myth of «eternal Spain». It is hardly necessary to insist that this kind of superficial essay-writing does not make any easier the understanding of Iberian art, nor —be it said in passing— does it help us to understand anything else at all.

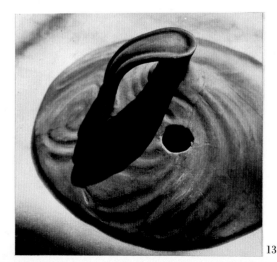

13

14

13. Couvercle de vase peint de S. Antonio de Calaceit.
14. Vase peint. Musée Archéologique de Barcelone.
15. Vase peint, de la forme dite kalathos ou «chapeau haut de forme».
16. Couvercle de vase peint de S. Antonio de Calaceit.

13. *Deckel einer bemalten Vase aus San Antonio de Calaceit.*
14. *Bemalte Vase. Museo Arqueológico, Barcelona.*
15. *Bemalte Vase, in der sogenannten «Kalathos» —oder «Zylinderhut»— Form.*
16. *Deckel einer bemalten Vase aus San Antonio de Calaceit.*

tauromachie, à Picasso et peut-être aussi à Dali, avec, en passant, des citations concernant les grands peintres castillans et andalous de l'époque de la Maison d'Autriche. Les nuances de cet «espagnolisme» sont malheureusement infinies, mais elles se révèlent exportables au nord des Pyrénées avec une étonnante facilité. De plus, on satisfait, en-deçà des frontières, au mythe de «l'Espagne éternelle». Il n'est nul besoin de dire que ce genre d'essais superficiels ne facilite en rien la compréhension de l'art ibérique; il n'aide, disons-le en passant, à rien comprendre du tout.

dem, gut verteilt, Bezug auf das «spanische Barock», auf die Stierkämpfe, auf Picasso und vielleicht auch noch auf Dalí genommen wurde und zudem noch einen Hinweis auf die grossen kastilianischen und andalusischen Maler aus der Habsburger Epoche, gab. Es gibt unendlich viel Nuancen der spanischen Handlungs- und Redeweisen im Bild und es ist erstaunlich, mit welcher Leichtigkeit diese über die Pyrenäen hinweg exportiert werden. Ausserdem deckt man hiermit, nach innen hin, den Mythos des «Ewigen Spaniens». Es braucht nicht erst gesagt zu werden, dass diese Art des oberflächlichen Studiums das Verständnis für die iberische Kunst nicht fördert noch zum Verständnis irgend etwas anderem beiträgt.

15

16

HACIA LA COMPRENSION DEL ARTE IBERICO

TOWARDS AN UNDERSTANDING OF IBERIAN ART

Los hallazgos de la Dama de Elche, del lote escultórico del Cerro de los Santos y de otros que se produjeron en la misma época fueron los primeros aldabonazos que despertaron la curiosidad y el interés hacia el arte ibérico. Sin embargo, había de transcurrir cierto tiempo para obtener un conjunto más completo y coherente, y para que el conjunto de producciones artísticas de la civilización ibérica, una vez rescatadas, pudiera ser valorado y comprendido.

¿Qué podían significar, en efecto, unas cuantas piezas aisladas? Hasta que no fue posible obtener series en cantidad y variación suficiente, observar los ambientes en que aparecían, comprobar sus distintos matices y encajar fechas, el conocimiento del arte ibérico no pasó del prólogo, del simple conocimiento de su existencia. El proceso necesitó de cierto tiempo, tres o cuatro decenios, durante los cuales surgieron, como es lógico, mientras las piezas iban revelándosenos, muchas dudas, numerosas incertidumbres que lentamente se han ido clarificando.

The discoveries of the Lady of Elche, of the series of sculptures in the Hill of the Saints and others which were made at about the same period were the first 'knockings at the gate' to arouse curiosity about, and interest in, Iberian art. Some time was to elapse, however, before a more complete and coherent aggregate could be obtained, and before this aggregate of artistic productions from the Iberian civilization, once rescued, could be appraised and understood.

What, after all, could be the significance of a few isolated pieces? Until it was possible to obtain series in sufficient quantity and variation, observe the surroundings in which they came to light, check their nuances of difference and fix dates, our knowledge of Iberian art was no more than a prologue, the simple knowledge of its existence. This process needed a certain time, three or four decades, during which there naturally arose, as the pieces were gradually discovered, many doubts and incertitudes which have gradually, but slowly, been clarified.

VERS UNE COMPREHENSION DE L'ART IBERIQUE

Les découvertes de la Dame d'Elche, du lot de sculptures de la Colline des Saints, et d'autres de la même époque, furent les premières qui éveillèrent la curiosité et l'intérêt pour l'art ibérique. Cependant, un certain temps s'écoula avant que l'on n'obtinsse un ensemble plus complet et cohérent, et pour que toutes les productions artistiques de la civilisation ibérique, une fois récupérées, pussent être appréciées et comprises.

Que pouvaient signifier, en effet, quelques pièces isolées? Tant qu'il n'a pas été possible d'obtenir des séries en nombre et en variété suffisants, d'observer les milieux dans lesquels elles apparaissaient, de vérifier leurs diverses nuances, et de faire coïncider les dates, la connaissance de l'art ibérique n'a guère dépassé le prologue, la simple notion de son existence. Il a fallu un certain temps, trois ou quatre dizaines d'années, durant lesquelles, logiquement, des doutes nombreux et des incertitudes surgissaient au fur et à mesure que les pièces nous étaient révélées, ne se dissipant que lentement.

ZUM VERSTÄNDNIS DER IBERISCHEN KUNST

Die Funde der «Dama de Elche», der Skulpturen vom «Cerro de los Santos» und vieler anderer die zu gleicher Zeit stattfanden, waren der Auftakt um die Neugier und das Interesse für die iberische Kunst zu wecken und dennoch musste eine geraume Zeit vergehen, bis man ein komplettes und zusammenhängendes Ganzes beieinander hatte, um die wiedergefundenen Kunstwerke der iberischen Kultur richtig bewerten und verstehen zu können.

Was konnten auch, in der Tat, einige vereinzelte Stücke bedeuten? Solange es nicht gelang, eine genügend grosse und verschiedenartige Auswahl zusammenzustellen, die Umgebungen zu erforschen in denen die Sachen gefunden wurden, die verschiedenen Nuancen miteinander verglich und Daten zusammenfügte, konnte die Kenntnis der iberischen Kunst nichts anderes als ein Auftakt, einfach die Kenntnisnahme ihres Vorhandenseins, sein. Es vergingen etwa drei bis vier Jahrzehnte, bis man alles klassifiziert hatte, während derer natürlich auch viele Zweifel auftauchten, sowie Unsicherheiten über den Ursprung der gefundenen Stücke, die

17. Devotos en adoración. Figuritas de bronce del Santuario.

17. *Devotees in attitude of adoration. Bronze figurines from the Sanctuary.*

17. Dévots en adoration. Figurines de bronze du Sanctuaire.

17. *Anbetende Heilige. Kleine Bronzefiguren aus dem Heiligtum.*

Poco después de la identificación de la escultura surgieron las cerámicas pintadas. Fue el segundo paso hacia un conocimiento más completo y más complejo, una revelación especialmente significativa, ya que la cerámica no constituye, por su misma finalidad, algo aislada, sino que se vincula estrechamente a la filiación de cada civilización antigua. En efecto, se trata de un elemento común, de uso cuotidiano, que penetra en cada casa y no de unas piezas siempre de carácter excepcional, como puedan ser las grandes figuras de piedra. Además, por la misma razón de su abundancia, la hallamos ahora en grandes cantidades, permitiéndonos establecer áreas de utilización y amplias posibilidades de estudio.

A principios de este siglo se pudo ya reunir una considerable documentación sobre los estilos artísticos y las técnicas de la cerámica ibérica. Pero surgió una confusión, ya que su descubrimiento se hizo de modo casi paralelo al sensacional hallazgo de la civilización micénica de Grecia y se observaron similitudes en la decoración de ambas. De ahí a suponer que las producciones descubiertas en tierras hispánicas eran imitaciones contemporáneas de lo micénico no había más que un solo paso. Algunos especialistas, precipitándose,

Not long after the identification of the sculptures came the painted ceramics. This was a second step towards a more complete, more complex knowledge, a specially significant revelation, since ceramics, by their very purpose, are not something isolated, but are closely linked to the characteristics of all ancient civilizations. Here, in effect, we have a common element, intended for everyday use, which has its place in every house, unlike pieces of exceptional character such as the great stone figures. Besides, precisely because it was so abundant, we now find this pottery in large quantities, which permits us to establish areas of utilization and gives us ample possibilities for study.

In the early years of this century it was already possible to collect considerable documentation on the artistic styles and the techniques of Iberian pottery. But confusion arose, since its discovery was made almost at the same time as the sensational find of the Mycenaean civilization of Greece and similarities were observed in the decoration of the two. From this to supposing that the products discovered on Hispanic territory were contemporary imitations of Mycenaean art was but a step. Some of the specialists, rather rashly, said so. And thus appeared some «Iberians» who were supposed to have existed before the first millennium.

18. Guerrero a caballo. Pequeño bronce procedente del poblado de La Bastida de Mogente, Valencia. Museo de Prehistoria de Valencia.

19. Tres pequeños bronces de los Santuarios de Despeñaperros. Museo de Prehistoria de Valencia.

18. *Warrior on horseback. Small bronze from the settlement of La Bastida de Mogente, Valencia. Prehistory Museum of Valencia.*

19. *Three small bronzes from the sanctuaries of Despeñaperros. Prehistory Museum of Valencia.*

18   19

18. Guerrier à cheval. Petit bronze provenant de la localité de La Bastida de Mogente, Valencia. Musée de Préhistoire de Valencia.

19. Trois petits bronzes des Sanctuaires de Despeñaperros. Musée de Préhistoire de Valencia.

18. *Krieger zu Pferd. Kleine Bronze aus der Siedlung La Bastida de Mogente (Valencia). Museo de Prehistoria, Valencia.*

19. *Drei kleine Bronzen aus dem Heiligtum von Despeñaperros. Museo de Prehistoria, Valencia.*

20. Detalle de un vaso pintado —estilo Elche-Archena—, procedente del poblado del Tossal de la Cala de Benidorm (Alicante). Museo Arqueológico de Alicante.

21, 22, 23. Tres vasijas de formas distintas procedentes de La Alcudia de Elche (Colección Ramos Folques, Elche).

20. *Detail of a painted vase —Elche-Archena style— from the settlement of El Tossal de la Cala, Benidorm (Alicante). Archaeological Museum of Alicante.*

21, 22, 23. *Three vessels of different shapes, from La Alcudia de Elche. Ramos Folques Collection, Elche.*

Con la vitrina

20. Détail d'un vase peint —style Elche-Archena—, provenant de la localité du Tossal de la Cala de Benidorm (Alicante). Musée Archéologique d'Alicante.

21, 22, 23. Trois pots de formes différentes provenant de La Alcudia de Elche (Collection Ramos Folques, Elche).

20. Detail einer bemalten Vase —Elche-Archena Stil— aus der Siedlung von Tossal de la Cala de Benidorm (Alicante). Museo Arqueológico, Alicante.

21, 22, 23. Drei Gefässe verschiedener Form aus La Alcudia de Elche. (Sammlung Ramos Folques, Elche).

21

dann aber langsam behoben und geklärt werden konnten.

Kurz nachdem man die Skulpturen identifiziert hatte, fand man auch die bemalten Keramiken. Das war der zweite Schritt zu einer vollkommeneren und gründlicheren Erkenntnis, eine bedeutsame Enthüllung, da die Keramiken, ihres eigentlichen Zweckes wegen nicht vereinzelt dastehen, sondern mit der Herkunft jeglicher antiken Kultur eng verbunden sind. Tatsächlich handelt es sich um einen allgemeinen Gegenstand, der täglich in jedem Haushalt gebraucht wird und nicht um Einzelstücke, wie es die grossen Steinfiguren darstellen. Gerade weil sie in grosser Anzahl gefunden werden, kann man ganze Gebrauchsgebiete aufzeichnen und erforschen.

22

Zu Anfang unseres Jahrhunderts, hatte man schon eine beträchtliche Urkundensammlung beieinander über die verschiedenen Kunststile und Techniken der iberischen Keramiken. Doch dann entstand ein Durcheinander, weil zu gleicher Zeit die aufsehenerregende Entdeckung der mykenischen Zivilisation in Griechenland gemacht wurde und man in der Dekoration beider Kulturen eine Gleichartigkeit sehen wollte. Von diesem zur Vermutung, dass die auf spanischem Boden gemachten Funde zeitgenössische Nachah-

23

24. Oferente. Figura de piedra del Cerro de los Santos. Museo Arqueológico Nacional de Madrid.
25. Vista del lugar de La Alcudia de Elche, donde en 1897 se halló la «Dama de Elche».

24. *Offerer. Stone figure from the Cerro de los Santos. National Archaeological Museum, Madrid.*
25. *View of the site in La Alcudia de Elche in which, in 1897, the «Lady of Elche» was found.*

24. Offrant. Figure de pierre du Cerro de los Santos. Musée Archéologique National de Madrid.
25. Endroit de La Alcudia d'Elche où fut trouvée la «Dame d'Elche» en 1897.

24. *Opfernde. Steinfigur aus dem Cerro de los Santos. Museo Arqueológico, Alicante.*
25. *Ansicht des Ortes von La Alcudia de Elche, wo im Jahr 1897 die «Dama de Elche» gefunden wurde.*

24 25

lo dieron. Y así aparecieron unos «iberos» que habrían existido antes del primer milenio.

Fue preciso que las excavaciones indicaran que las cerámicas ibéricas se hallaban junto con importaciones griegas de los siglos v y iv a. J.C. y la labor clarificadora de varios arqueólogos, para que finalmente la hipótesis micénica fuera abandonada de forma definitiva, hacia 1915.

Hacia esta misma fecha comenzaron las excavaciones sistemáticas de lugares de habi-

It was not until the excavations, and the enlightening work of various archeologists, showed that the Iberian ceramics were found side by side with Greek importations of the 5th and 4th centuries B.C., that the Mycenaean hypothesis was finally and definitively abandoned, about 1915.

It was at about the same time that systematic excavations began of the Iberian habitats, settlements and cities, as also of the necropolis. In consequence it became possible to obtain a more complete vision of a world which had hitherto

26. «La Dama de Elche», detalle. Museo del Prado, Madrid.
27. Cabeza de una figura de piedra. Puente Genil. Museo de Córdoba.
28. Cabecita de terracota masculina. Santuario de la Serreta de Alcoy. Museo de Alcoy.
29. Tres figuritas de terracota del Santuario de la Serreta de Alcoy. Museo de Alcoy.

26. «The Lady of Elche», detail. The Prado, Madrid.
27. Head of a stone figure. Puente Genil. Museum of Cordova.
28. Small male head in terracotta. Sanctuary of La Serreta de Alcoy. Museum of Alcoy.
29. Three terracotta figurines from the sanctuary of La Serreta de Alcoy. Museum of Alcoy.

26. «La Dame d'Elche», détail. Musée du Prado, Madrid.
27. Tête d'une figure de pierre. Puente Genil. Musée de Cordoue.
28. Petite tête masculine de terre cuite. Sanctuaire de la Serreta d'Alcoy. Musée d'Alcoy.
29. Trois figurines de terre cuite du Sanctuaire de la Serreta d'Alcoy. Musée d'Alcoy.

26. «La Dama de Elche», detail. Museo del Prado, Madrid.
27. Kopf einer Steinfigur. Puente Genil. Museum von Córdoba.
28. Kleiner Männerkopf eus Terrakotta. Heiligtum von La Serreta de Alcoy. Museum von Alcoy (Alicante).
29. Drei kleine Terrakotta-Figuren aus dem Heiligtum von La Serreta de Alcoy. Museum von Alcoy.

29

30. Caballo. Relieve en piedra del Santuario del Cigarralejo de Mula, Murcia. Colección Emeterio Cuadrado. Madrid.

31. Jinete. Pequeño bronce del Santuario de La Luz, Murcia. Museo de Arqueología de Barcelona.

32. Cabeza de caballo. Detalle de un exvoto del Santuario del Cigarralejo de Mula, Murcia. Colección Emeterio Cuadrado. Madrid.

30. *Horse. Relief in stone, from the sanctuary of El Cigarralejo de Mula, Murcia. Emeterio Cuadrado Collection, Madrid.*

31. *Rider. Small bronze from the sanctuary of La Luz, Murcia. Archaeological Museum of Barcelona.*

32. *Horse's head. Detail of a votive offering from the sanctuary of El Cigarralejo de Mula, Murcia. Emeterio Cuadrado Collection, Madrid.*

30

30. Cheval. Relief en pierre du Sanctuaire du Cigarralejo de Mula, Murcie. Collection Emeterio Cuadrado, Madrid.
31. Cavalier. Petit bronze du Sanctuaire de La Luz, Murcie. Musée d'Archéologie de Barcelone.
32. Tête de cheval. Détail d'un ex-voto du Sanctuaire du Cigarralejo de Mula, Murcie. Collection Emeterio Cuadrado, Madrid.

30. Pferd. Steinrelief aus dem Heiligtum von Cigarralejo de Mula (Murcia). Sammlung Emeterio Cuadrado. Madrid.
31. Reiter. Kleine Bronze aus dem Heiligtum der Luz, Murcia. Museo de Arqueología, Barcelona.
32. Pferdekopf. Detail einer Votivgabe aus dem Heiligtum von Cigarralejo de Mula (Murcia). Sammlung Emeterio Cuadrado, Madrid.

31   32

tación ibéricos, poblados y ciudades, así como de necrópolis. Como consecuencia se pudo obtener una visión más completa de un mundo que hasta entonces se revelaba sólo a través de las referencias escritas en los textos griegos y romanos y de los hallazgos sueltos que venimos mencionando. Las piezas de arte, escultura y cerámica, dejaron de ser elementos aislados para pasar a verse en función de todo un complejo de civilización. Fue el primer progreso notable después de la sorpresa del descubrimiento. El arte ibérico comenzaba a dejar de ser un grupo más o menos heterogéneo de objetos curiosos para entrar en la categoría de un capítulo organizado de la historia del arte antiguo de las civilizaciones occidentales anteriores a la romanización.

Paralelamente se iban produciendo nuevos descubrimientos. A las series de la escultura en piedra siguieron los pequeños bronces votivos de los santuarios de Sierra Morena, en número abundantísimo y después el lote, también votivo, de terracotas del santuario de La Serreta de Alcoy. Luego, ya en las inmediaciones de la guerra civil de 1936, tuvo lugar la sensacional aparición de las series de cerámicas de Liria con decoración de escenas con figuras humanas, que en los últimos años se ha ampliado con los recientes descubri-

been revealed only through Greek and Roman texts, or through the single finds of which we have been speaking. The works of art, sculpture and ceramics ceased to be isolated elements and were considered in the light of a whole complex of civilization. It was the first notable progress since the original surprise of the discovery. Iberian art was ceasing to be any longer a more or less heterogeneous group of curious objects and was beginning to achieve the category of an organized chapter in the history of the ancient art of the western civilizations prior to Romanization.

In parallel fashion new discoveries were gradually made. The series of stone sculptures was followed by the little votive bronzes of the sanctuaries of Sierra Morena, in very great numbers, and also by the find of the terracottas, also votive, in the sanctuary of the Serreta de Alcoy. Later, just before the civil war of 1936, there came the sensational apparition of the ceramic series of Liria, with their decoration of scenes with human figures, which has been enhanced in recent years by the latest discoveries in Alloza, half-way down the valley of the Ebro.

Meanwhile studies went ahead. And not exactly in rectilinear fashion, as so often happens. At the moment when the same quantity of pieces

Peu après l'identification de la sculpture apparurent les céramiques peintes. Ce fut le second pas vers une connaissance plus complète et plus complexe, une révélation hautement significative, puisque la céramique, de par sa finalité même, ne constitue pas quelque chose d'isolé mais se rattache étroitement à la filiation de chaque civilisation antique. Il s'agit en effet d'un élément commun, d'usage quotidien, ayant sa place dans chaque maison, et non pas de pièces de caractère toujours exceptionnel comme peuvent l'être les grandes figures de pierre. En outre, et par suite précisément de leur abondance, nous la trouvons maintenant en grand nombre, ce qui nous permet d'établir des zones d'usage et nous donne de grandes possibilités d'étude.

Dès le début du siècle, il fut possible de réunir une documentation considérable relative aux styles artistiques et aux techniques de la céramique ibérique. Il en résulta une confusion, car leur découverte coïncida presque avec la sensationnelle mise à jour de la civilisation mycénienne en Grèce, et parce qu'on remarqua des similitudes dans la décoration des deux céramiques. Il n'y avait qu'un pas à franchir pour supposer que les productions découvertes en terres hispaniques étaient de

mungen des Mykenischen wären, war nur ein kleiner Schritt und so kam es auch, dass, seitens einiger voreiliger Fachleute, dies zum Ausdruck gebracht wurde. Auf diese Weise hätte man «Iberer» entdeckt, die bereits vor dem ersten Jahrtausend lebten.

Die Ausgrabungen sagten jedoch aus, dass die iberischen Keramiken zusammen mit griechischen aus dem V. und IV. Jh.v.Chr. gefunden wurden und die klärende Kleinarbeit einiger Altertumsforscher ergab dann, dass die mykenische Hypothese gegen das Jahr 1915 endgültig verworfen wurde.

Um diese Zeit herum begannen dann die systhematischen Ausgrabungen an den Orten ehemaliger iberischer Siedlungen, Dörfer und Städte sowie der Grabstätten, infolge derer man ein vollkommeneres Bild einer Welt erhielt, die sich bis dahin nur aus den schriftlichen Überlieferungen griechischer und römischer Texte und der vereinzelten, bereits erwähnten Funde, enthüllt hatte. Die Kunstwerke, Skulpturen und Keramiken, waren keine Einzelstücke mehr, sondern bildeten nun eine geschlossene Kultursammlung. Es war der erste bedeutende Fortschritt nach der überraschenden Entdeckung, dass die iberische Kunst nicht mehr als eine mehr oder weniger verschiedenartige Gruppe seltsamer Ge-

33. Jinete guerrero. Detalle de un vaso pintado del poblado de La Serreta de Alcoy. Museo de Alcoy.

34. Detalle de un vaso pintado de la necrópolis de Oliva. Valencia. Museo de Prehistoria de Valencia.

33. *Warrior on horseback. Detail of a painted vase from the settlement of La Serreta de Alcoy. Museum of Alcoy.*

34. *Detail of a painted vase from the necropolis of Oliva, Valencia. Prehistory Museum of Valencia.*

33. Guerrier à cheval. Détail d'un vase peint de la localité de La Serreta d'Alcoy. Musée d'Alcoy.

34. Détail d'un vase peint de la nécropole d'Oliva, Valencia. Musée de Préhistoire de Valencia.

33. *Kriegerischer Reiter. Detail einer bemalten Vase aus der Siedlung La Serreta de Alcoy. Museum von Alcoy.*

34. *Detail einer bemalten Vase aus der Nekropole von Oliva (Valencia). Museo de Prehistoria, Valencia.*

35. Vasija pintada del poblado del Tossal de la Cala de Benidorm. Museo Arqueológico de Alicante.

36. Urna pintada de la necrópolis de Oliva. Valencia. Museo de Arqueología de Barcelona.

37. Vasija pintada.

38. Pormenor de un vaso pintado de Oliva. Museo de Arqueología de Barcelona.

35. *Painted vessel from the settlement of El Tossal de la Cala, Benidorm (Alicante). Archaeological Museum of Alicante.*

36. *Painted urn from the necropolis of Oliva, Valencia. Archaeological Museum of Barcelona.*

37. *Painted vessel.*

38. *Detail of a painted vase from Oliva. Archaeological Museum of Barcelona.*

35

36

37

38

35. Pot peint de la localité du Tossal de la Cala de Benidorm. Musée Archéologique d'Alicante.

36. Urne peinte de la nécropole d'Oliva, Valencia. Musée d'Archéologie de Barcelone.

37. Pot peint.

38. Détail d'un vase peint d'Oliva. Musée d'Archéologie de Barcelone.

35. Bemaltes Gefäss aus der Siedlung von Tossal de la Cala de Benidorm. Museo Arqueológico, Alicante.

36. Bemalte Urne aus der Nekropole von Oliva (Valencia). Museo Arqueológico, Barcelona.

37. Bemaltes Gefäss.

38. Detail einer bemalten Vase aus Oliva. Museo de Arqueología, Barcelona.

39. Vaso pintado, de la forma llamada kalathos o sombrero de copa. Procede de San Miguel de Liria, Valencia. Museo de Prehistoria de Valencia.

40. Detalle de la pintura de una vasija del poblado de San Miguel de Liria, Valencia. Museo de Prehistoria de Valencia.

39. Painted vase, in the shape known as kalathos or «top hat». From San Miguel de Liria, Valencia. Prehistory Museum of Valencia.

40. Detail of the painting of a vessel from the settlement of San Miguel de Liria, Valencia. Prehistory Museum of Valencia.

39

39. Vase peint, de la forme dite kalathos ou chapeau haut de forme. Provient de San Miguel de Liria, Valencia. Musée de Préhistoire de Valencia.

40. Détail de la peinture d'un pot de la localité de San Miguel de Liria, Valencia. Musée de Préhistoire de Valencia.

39. *Bemalte Vase der sogenannten «Kalathos» —oder «Zylinderhut»— Form, aus San Miguel de Liria (Valencia). Museo de Prehistoria, Valencia.*

40. *Detail einer Vasenmalerei aus der Siedlung San Miguel de Liria (Valencia). Museo de Prehistoria, Valencia.*

40

56

41. Vaso ibérico de Ampurias con dos lanceros corriendo.
42. Detalle de la pintura de una vasija del poblado de San Miguel de Liria. Museo de Prehistoria de Valencia.
43. Detalle de la pintura de una vasija del poblado de San Miguel de Liria, Valencia. Museo de Prehistoria de Valencia.
44. Detalle de la pintura de una vasija del poblado de San Miguel de Liria, Valencia. Museo de Prehistoria de Valencia.
45. Detalle de la pintura de una vasija del poblado de San Miguel de Liria, Valencia. Museo de Prehistoria de Valencia.

41. *Iberian vase from Ampurias, with two spearmen running.*
42. *Detail of the painting of a vessel from the settlement of San Miguel de Liria, Valencia. Prehistory Museum of Valencia.*
43. *Detail of the painting of a vessel from the settlement of San Miguel de Liria, Valencia. Prehistory Museum of Valencia.*
44. *Detail of the painting of a vessel from the settlement of San Miguel de Liria, Valencia. Prehistory Museum of Valencia.*
45. *Detail of the painting of a vessel from the settlement of San Miguel de Liria, Valencia. Prehistory Museum of Valencia.*

41

42

41. Vase ibérique d'Ampurias, montrant deux lanciers en pleine course.
42. Détail de la peinture d'un pot de la localité de San Miguel de Liria, Valencia. Musée de Préhistoire de Valencia.
43. Détail de la peinture d'un pot de la localité de San Miguel de Liria, Valencia. Musée de Préhistoire de Valencia.
44. Détail de la peinture d'un pot de la localité de San Miguel de Liria, Valencia. Musée de Préhistoire de Valencia.
45. Détail de la peinture d'un pot de la localité de San Miguel de Liria, Valencia. Musée de Préhistoire de Valencia.

41. *Iberische Vase aus Ampurias mit zwei rennenden Lanzenträgern.*
42. *Detail der Malerei an einem Gefäss aus der Siedlung von San Miguel de Liria (Valencia). Museo de Prehistoria, Valencia.*
43. *Detail der Malerei an einem Gefäss aus der Siedlung von San Miguel de Liria (Valencia). Museo de Prehistoria, Valencia.*
44. *Detail der Malerei an einem Gefäss aus der Siedlung von San Miguel de Liria (Valencia). Museo de Prehistoria. Valencia.*
45. *Detail der Malerei an einem Gefäss aus der Siedlung von San Miguel de Liria (Valencia). Museo de Prehistoria, Valencia.*

43

44

simples imitations contemporaines des céramiques mycéniennes. Quelques spécialistes l'affirmèrent, précipitamment. Ainsi apparurent des «Ibères» qui auraient existé avant le premier millénaire. Il fallut que les fouilles indiquent que les céramiques ibériques se trouvaient avec des importations grecques des vème et ivème siècles avant J.-C. et le travail de classement de plusieurs archéologues pour que l'hypothèse mycénienne soit finalement et définitivement abandonnée, vers 1915.

Approximativement à cette même date commencèrent les fouilles systématiques de lieux de peuplement ibériques, villages et villes, ainsi que de nécropoles. On put ainsi obtenir une vision plus complète d'un monde qui ne se révélait jusqu'alors qu'à travers les références écrites dans les textes grecs et romains et les découvertes isolées que nous avons mentionnées. Les œuvres d'art, sculpture et céramique, furent examinées, non plus en tant qu'éléments isolés mais en fonction de tout un complexe de civilisation. Ce fut le premier progrès notable après la surprise de la découverte. L'art ibérique cessait d'être un groupe plus ou moins hétérogène d'objets curieux pour devenir un chapitre organisé de l'histoire de l'art des civilisations antérieures à la romanisation.

genstände betrachtet wurde, sondern in den Rang eines geordneten Abschnittes der Kunstgeschichte alter, vor der Romanisierung, bestehender westlicher Kulturen kam.

Gleichzeitig wurden weitere Funde gemacht. Der Reihe der Steinskulpturen folgten die kleinen Votivbronzen, die in grosser Anzahl in den Heiligtümern der Sierra Morena gefunden wurden und später kamen noch die Terrakotten der Weihstätte von La Serreta in Alcoy hinzu, die ebenfalls Votivgaben waren. Kurz vor dem Bürgerkrieg von 1936 wurde noch der aufsehenerregende Fund der Keramiken von Liria gemacht, die mit Szenen menschlicher Figuren verziert waren, und zu dem noch die in den letzten Jahren gemachten Entdeckungen von Alloza im mittleren Ebro-Tal, hinzukamen.

Inzwischen ging die Forschung weiter und zwar, wie es oft der Fall ist, nicht auf einem geradlinigen Weg. Als man die Stammstücke bereits mehr oder weniger zusammen hatte, erfolgte die sogenannte Krise des Iberismus, infolge einer charakteristischen doppelten Neigung der spanischen Altertumsforschung der vierziger Jahre. Einerseits gab die Entdeckung, dass das Eindrigen der Indoeuropäer einen so grossen Einfluss auf die Bevölkerung der spanischen Halbinsel hatte, Veranlassung um im übertriebenen Sinne die

mientos de Alloza, en el valle medio del Ebro. Entretanto el estudio avanzaba. Y no precisamente en forma rectilínea, como acontece tantas veces. En el momento en que ya se disponía más o menos del mismo fondo de piezas que poseemos ahora, se produjo lo que podríamos denominar la crisis del iberismo, producida por una doble tendencia característica de la investigación arqueológica hispánica durante la década de los cuarentas.

Por una parte el descubrimiento del impacto que tuvo sobre las poblaciones peninsulares la penetración de los indoeuropeos hizo que, exagerando la nota, se dejara en un segundo plano secundario la potente personalidad de la civilización ibérica. Por otro lado existió el prejuicio de considerar a las creaciones ibéricas como más modernas de lo que realmente eran, y así resultaba que el fenómeno ibérico pasaba a considerarse como un reflejo de la influencia romana sobre la sociedad indígena: el arte ibérico sería pues, una faceta del arte romano provincial, con raíces especiales, locales, que le conferían un sabor original, pero nada más.

En definitiva, se trató de una visión pasajera. Pronto se reaccionó contra lo que hoy comprendemos que fue una moda, una de esas

that we now possess already existed, more or less, there came what we might call the crisis of Iberianism, the result of a two-fold tendency characteristic of Hispanic archaeological research during the forties. On the one hand the discovery of the impact produced on the peoples of the peninsula by the penetration of the Indo-Europeans caused some, rather exaggeratedly, to relegate to a secondary position the powerful personality of the Iberian civilization. On the other hand there was a bias in favour of considering the Iberian creations as more modern than they really were, and the result was that the Iberian phenomenon came to be thought of as a reflection of Roman influence on the indigenous population: Iberian art, in fact, was classified as simply one facet of Roman provincial art, with some special local roots which gave it an original flavour, but no more than that.

This, however, was a purely temporary view of the matter. There soon came a reaction against what we now understand to have been simply a fashion, one of those trends which appear from time to time in all fields of research, an inflation of theories which, because they are supported by recognized authorities, are followed for a time, until it can be proved that they are not based on sound, objective data.

47. Pormenor de un fragmento de escultura de piedra, representando a un guerrero: mano sosteniendo el escudo. La Alcudia de Elche. Colección Ramos Folques, Elche.

47. *Detail of a fragment of stone sculpture, representing a warrior: a hand holding up a shield. La Alcudia de Elche. Ramos Folques Collection, Elche.*

47. Détail d'un fragment de sculpture en pierre, représentant un guerrier: main empoignant le bouclier. La Alcudia d'Elche. Collection Ramos Folques, Elche.

47. Detail des Fragmentes einer Steinskulptur die einen Krieger darstellt: Hand den Schild haltend. La Alcudia de Elche. Sammlung Ramos Folques, Elche.

47

mächtige Persönlichkeit der iberischen Kultur als zweitrangig zu betrachten und demzufolge nicht zu beachten. Auf der anderen Seite neigte man dazu, die iberischen Kunstwerke als einer viel jüngeren Zeit zugehörend zu betrachten, als sie in Wirklichkeit waren. So kam es, dass man das iberische Phänomen als einen Reflex des römischen Einflusses auf die inländische Gesellschaft betrachtete, in welchem Falle die iberische Kunst nichts weiter als eine Facette der provinzialen römischen Kunst gewesen wäre, zwar mit besonderen lokalen Verwurzelungen, die ihr ihren ursprünglichen Anhauch gaben, mehr aber auch nicht.

Zum Glück war dies aber nur ein vorübergehender Gesichtspunkt. Bald schon lehnte man sich aber gegen das auf, was man heute als «Mode» bezeichnen würde, als eine jener Tendenzen, die immer wieder auf dem Gebiet der Forschung erscheinen, als eine Inflation der Theorien, die, weil sie von zuverlässigen Namen gestützt werden, eine Zeitlang befolgt werden bis es sich erweist, dass sie doch nicht mit genügend stichhaltigen Daten bekräftigt werden können.

Wie zu erwarten war, liess die Auflehnung nicht auf sich warten. Vor allem wurde ab 1950 die Grundlage für eine weitgehende Revision des

48. Estela sepulcral, con series de puntas de lanzas incisas. Comarca del Bajo Aragón. Museo de Arqueología de Barcelona.

48. *Sepulchral stele, with a series of incised spears. From the Lower Aragon district. Archaeological Museum of Barcelona.*

tendencias que de vez en cuando se producen en todos los campos de la investigación, una inflación de teorías que, por el hecho de ser apoyadas por firmas solventes, se ven seguidas temporalmente hasta que se puede demostrar que no están apoyadas de forma suficiente en datos objetivos, seguros.

Como era previsible, la reacción no se hizo esperar. Fue sobre todo a partir de 1950 cuando se han asentado las bases para una revisión a fondo del concepto de iberismo, considerándolo como un hecho no ligado a un concepto de «raza» sino de civilización y planteando su trayectoria a partir de las influencias coloniales —y más específicamente griegas— a partir de un momento anterior a la llegada de los romanos. El arte ibérico hay que verlo, pues, como algo realmente autóctono, aunque los estímulos que lo hicieron posible provengan del Mediterráneo Oriental. Pero el problema de la civilización ibérica hemos de tratarlo, brevemente, en el próximo capítulo. Ahora nos interesa, ante todo, establecer un rápido inventario, es decir, saber concretamente a qué nos referimos cuando tratamos de arte ibérico.

En el estado actual de nuestros conocimientos no es posible incluir apenas nada en el campo

As was to be expected, the reaction was not long in coming. It was principally about 1950 that the bases were established for a thorough re-examination of the concept of Iberianism, considering it as a fact not linked to any concept of «race» but one of civilization, and establishing its course as from colonial —more specifically Greek— influences; i.e., as from a period previous to the arrival of the Romans. Iberian art, therefore, must be seen as something really native, though the stimuli that made it possible may have come from the eastern Mediterranean. But the problem of Iberian civilization must be treated, briefly, in our next chapter. What interests us now, first and foremost, is to make a quick inventory, that is to say, to make sure that we know what we are referring to when speaking of Iberian art.

In the present state of our knowledge it is hardly possible to include anything in the field of architecture. It would be presumptuous on our part to deal with what we know of Iberian architecture under the heading of art. The buildings of the settlements and towns hitherto explored are of a utilitarian character and are generally very poor, without any parallel with the beautiful, significant and original creations of the sculpture or the painting on jars. We know nothing about the existence of public, religious or private build-

48. Stèle tombale avec séries d'incisions en fer de lance. Localité du Bas Aragón. Musée d'Archéologie de Barcelone.

48. Grabstele mit eingeschnitzten Lanzenspitzen. Gegend von Nieder-Aragón. Museo de Arqueología, Barcelona.

48

De nouvelles découvertes se produisaient parallèlement. Après les sculptures de pierre vinrent les petits bronzes votifs des sanctuaires de Sierra Morena, très nombreux, puis le lot, votif également, d'argiles cuites du sanctuaire de la Serreta d'Alcoy. Ensuite, immédiatement avant la guerre civile de 1936, se produisit la sensationnelle découverte des séries de céramiques de Liria, décorées de scènes à figures humaines, séries récemment enrichies des récentes trouvailles d'Alloza, dans la vallée moyenne de l'Ebre.

Pendant ce temps, l'étude avançait. Et pas précisément en ligne droite, comme il arrive si souvent. Ce que l'on pourrait appeler la «crise de l'ibérisme», causée par une double tendance caractéristique de l'investigation archéologique hispanique au cours des années quarante, se produisit au moment où l'on disposait plus ou moins du même fonds qu'à l'heure actuelle. D'autre part, la constatation du choc causé par la pénétration indo-européenne sur les populations de la péninsule fit passer au second plan —en exagérant la note— la puissante personnalité de la civilisation ibérique. D'autre part, il existait le préjugé de considérer les créations ibériques plus modernes qu'elles ne l'étaient en réalité, et le phénomène ibérique venait de la sorte

49. Anverso y reverso de una moneda de Undikesken (Ampurias) —a la izquierda— y dos anversos de otras monedas ibéricas mostrando el tipo de figura masculina probablemente de divinidad típica de esta serie.

50. Otro ejemplar de reverso de moneda ibérica.

49. *Obverse and reverse of a coin from Undikesken (Ampurias) —on the left— and two obverses of other Iberian coins, showing the type of masculine figure, probably of a divinity, typical of this series.*

50. *Another specimen of the reverse of an Iberian coin.*

49

arquitectónico. Lo que conocemos de arquitectura ibérica sería abusivo tratarlo bajo el epígrafe de arte. Las edificaciones de los poblados y ciudades exploradas hasta el presente muestran un carácter utilitario y son en general muy pobres, sin paralelo con las creaciones originales, significativas y bellas de la escultura o de la pintura sobre vasijas. Ignoramos la existencia de edificios públicos, religiosos o civiles. Los santuarios hasta hoy explorados parecen nacer de cultos en emplazamientos elegidos para en función de la naturaleza: cuevas o covachas, cimas de montes. Las construcciones son, de haberlas, pequeñas y a través de los cimientos conservados no parece que nunca alcanzarán especial digni-

ings. The sanctuaries so far explored seem to be those for worship in situations chosen to take advantage of nature: caves, large or small, the tops of hills. The constructions, where they exist, are small and, from examination of the foundations still preserved, it would not seem that they ever attained to any special aesthetic worth. We are in a world which derives from the old naturalistic myths, not in that of the temple as an essential part of the polis, of the city, as has existed ever since the world of the Greeks or since the remotest eastern precedents. Thus the temple properly speaking hardly exists, or at any rate it has not been possible to find any so far in excavating the settlements. If their religion did not achieve any constructional manifestations

à être envisagé comme un reflet de l'influence romaine sur la société indigène; l'art ibérique serait donc une facette de l'art provincial romain, avec des racines spéciales, locales, qui lui conféreraient une saveur originale, mais rien d'autre.

Ce ne fut là en définitive qu'une vision passagère. On réagit très vite contre ce que nous comprenons maintenant avoir été une mode, une de ces tendances qui se manifestent de temps à autre dans tous les domaines de l'investigation, une inflation de théories qui, parce qu'appuyées par des noms illustres, sont suivies un temps jusqu'à ce qu'il soit démontré qu'elles ne se basent pas suffisamment sur des faits objetifs, sûrs.

Comme on pouvait le prévoir, la réaction ne se fit pas attendre. C'est surtout à partir de 1950 que l'on posa les bases d'une révision totale de l'idée d'ibérisme, considérant celui-ci comme un fait indépendant de l'idée de «race» et lié à celle de civilisation, et traçant sa trajectoire à partir des influences coloniales —et plus spécialement grecques— avant l'arrivée des Romains. Il faut donc considérer l'art ibérique comme quelque chose de réellement autochtone, même si les influences qui l'ont rendu possible sont venues de la Méditerranée

50

Begriffes «Iberismus» gelegt, indem man diesen nicht als einen «rassischen» Begriff betrachtete, sondern als einen kulturellen und zwar zog man die Entwicklungsbahn indem man von den kolonialen Einflüssen —im besonderen der griechischen— ausging, beginnend mit einem Zeitpunkt, der noch vor der Ankunft der Römer liegt. Die iberische Kunst muss also als etwas wirklich eigenständiges betrachtet werden, obwohl die Anregungen, die sie belebten und ermöglichten, wahrscheinlich aus dem östlichen Mittelmeer kamen. Das Problem der iberischen Kultur werden wir jedoch im nächsten Abschnitt noch kurz betrachten. Jetzt liegt uns mehr daran, eine kurze Zusammenfassung zu machen, das heisst, genau zu wissen was gemeint

dad estética. Estamos en un mundo derivado de los viejos mitos naturalistas y no del templo en función de la *polis*, de la ciudad, como se halla a partir del mundo griego o de los más lejanos precedentes orientales. Así el templo propiamente dicho apenas existe, o en todo caso no se ha conseguido hallar nunca hasta ahora excavando los poblados. Si la religión no alcanzó unas manifestaciones constructivas dignas de este nombre es menos de extrañar que tampoco hallemos edificios destinados a la vida pública civil —política o administrativa—, ya que es norma que en los pueblos antiguos las primeras grandes construcciones sean los templos. Tampoco podemos referirnos, salvo casos rarísimos, a arquitectura funeraria. En este caso hay que convenir que el rito de incineración, con tumbas individuales, que fue propio de los pueblos ibéricos se presta escasamente a la erección de tumbas monumentales. Sólo en algunos pueblos del sur, en Andalucía, conocemos cámaras sepulcrales que recuerdan de lejos las etruscas; pero poco es posible señalar más allá de la perfección técnica de sus paramentos. Algún elemento aislado —capiteles, restos decorativos— siempre en Andalucía, nos permite sospechar que quizá nuevas investigaciones abrirán un capítulo por ahora inédito y que la arquitectura hallará su lugar entre las artes

worthy of the name, it is hardly surprising that we do not find, either, buildings intended for civil, public life —political or administrative—, since it is the norm that in ancient peoples the first great edifices were the temples. Nor can we refer, except in extremely rare cases, to funerary architecture. In this respect we must remember that the rites of incineration, with individual tombs, which were the practice among the Iberian peoples, hardly lend themselves to the erection of monumental tombs. Only in some villages of the south, in Andalusia, do we find sepulchral chambers vaguely reminiscent of Etruscan tombs; but there is little to be noted here except the technical perfection of their surfaces. Sometimes an isolated element —capitals or remains of decoration—, again in Andalusia, permit us to suspect that perhaps new investigations will open a chapter hitherto unwritten and that architecture will take its place among the Iberian arts. But for the moment we are not yet in a position to go any further in our hypotheses and include architecture in an essay on the art of the Iberian peoples.

The sculpture must be considered in its two facets. On the one hand, the sculpture in stone, more or less monumental, but always in large proportions. And on the other hand, the statuettes in bronze and terracotta.

orientale. Quant au problème de la civilisation ibérique, il sera brièvement traité dans le chapitre suivant. Ce qu'il nous faut maintenant et avant tout, c'est faire un rapide inventaire afin que nous sachions exactement à quoi nous faisons allusion quand nous parlons de l'art ibérique.

Dans l'état actuel de nos connaissances, il est à peine possible d'inclure quelque chose de valable dans le domaine architectural. Il serait abusif de classer sous la rubrique Art ce que nous connaissons de l'architecture ibérique. Les constructions des villages et villes explorés jusqu'ici ont un caractère utilitaire et sont en général très pauvres, sans parallèle avec les belles créations originales, significatives, de la sculpture ou de la peinture sur céramique. Nous ignorons l'existence d'édifices publics, religieux ou civils. Les sanctuaires explorés paraissent naître de cultes célébrés sur des emplacements choisis en fonction de la nature: grottes ou cavernes, cimes de montagnes. Lorsqu'elles existent, les constructions sont petites, et à en juger par les fondements qu'il s'en conserve, il ne semble pas qu'elles aient jamais atteint une spéciale dignité esthétique. Nous sommes en présence d'un monde qui obéit aux vieux mythes naturalistes et non pas à l'idée du

wird, wenn man von iberischer Kunst spricht. Im derzeitigen Stand unserer Kenntnisse kann man kaum etwas über das Gebiet der Baukunst sagen. Was man von iberischer Baukunst kennt, kann schlecht unter dem Begriff «Kunst» behandelt werden. Die bisher erforschten Gebäude der iberischen Siedlungen und Städte waren, im allgemeinen, sehr ärmlich und dienten nur einem nützlichen Zweck, der in keinem Verhältnis zu den ursprünglichen, bedeutsamen und herrlichen Werken der Skulpturen oder der bemalten Keramiken standen. Gebäude die dem Volkswohl, der Religion oder dem bürgerlichen Wesen dienten, sind nicht bekannt. Die bisher erforschten Weihstätten oder Heiligtümer, scheinen an Stätten aufgebaut zu sein, die dem Kult der Natur entsprachen: in kleinen und grossen Höhlen und auf den Berggipfeln. Die wenigen Bauwerke, wenn es sie gab, waren klein und nach den noch erhaltenen Fundamenten zu schliessen, haben sie niemals einen besonderen ästhetischen Wert erreicht. Wir befinden uns in einer Welt, die von den alten Naturmythen ableitet und nicht von der Kirche im Dienste der «polis», der Stadt, wie man sie aus der griechischen Zeit oder noch entfernter orientalischer Länder her kennt. So gab es unter den Iberern keine Kirchen im eigentlichen Sinne des Wortes oder wenn, dann hat man sie bisher bei den Ausgrabungen noch nicht gefunden. Wenn die Religion unter diesem

51. Dama oferente del Cerro de los Santos. Museo Arqueológico Nacional de Madrid.

51. *Offering figure of a lady, from the Cerro de los Santos. National Archaeological Museum, Madrid.*

51. Dame offrante du Cerro de los Santos. Musée Archéologique National de Madrid.

51. Opfernde Gestalt aus dem Cerro de los Santos. Museo Arqueológico Nacional. Madrid.

52. Estela funeraria, con representación de un jinete y series de puntas de lanza. Procede de la comarca de Caspe. Museo de Arqueología de Barcelona.

53. Fragmento de relieve.

52. *Funerary stele, with the representation of a rider and a series of spearheads. From the district of Caspe. Archaeological Museum of Barcelona.*

53. *Fragment of a relief.*

53

52

temple en fonction de la *polis*, de la cité, comme c'est le cas dans le monde grec ou dans les plus lointaines civilisations orientales. Aussi, le temple proprement dit n'existe guère; du moins, on n'a pas encore réussi à le trouver lors des fouilles réalisées dans les villages. Si la religion n'a pas atteint des manifestations constructives dignes de ce nom, on peut encore moins s'étonner de ne pas trouver d'édifices destinés à la vie publique civile —politique ou administrative—, sachant qu'il est normal chez les peuples anciens que les premières grandes constructions soient les temples. Nous ne pouvons non plus, sauf en de très rares occasions, parler d'architecture funéraire. Il faut reconnaître ici que le rite de l'incinération, avec des tombes individuelles, qui fut le propre des peuples ibériques, se prête fort peu à l'érection de tombes monumentales. Uniquement dans quelques villages du sud de l'Andalousie nous connaissons des chambres sépulcrales qui rappellent de loin les tombes étrusques; mais la comparaison ne va pas au-delà de la perfection technique de leurs parements. Des éléments isolés —chapiteaux, restes décoratifs—, toujours en Andalousie, nous permettent de soupçonner que de nouvelles investigations ouvriront peut-être un chapitre pour l'instant inédit, et que l'architecture

Volk keine Bauwerke zustande gebracht hat, die diesen Namen verdienen, dann darf es nicht verwundern, wenn man auch keine Gebäude findet, die dem öffentlichen und bürgerlichen Leben —politisch oder verwaltungsmässig— dienten, da es ja unter den grossen alten Völkern, wie bekannt, üblich war, dass als erste grosse Gebäude die Tempel errichtet wurden. Ebensowenig kann man sich, ausser in einigen sehr seltenen Fällen, auf Grabmalkunst beziehen. Man kann zwar hierzu bemerken, dass der Ritus der Verbrennung, der den iberischen Völkern eigen war, kaum Anlass gab grosse Grabmäler zu bauen. Nur unter den südlichen Völkern in Andalusien sind Grabkammern bekannt, die entfernt an die etruskischen Gräber erinnern, doch kann man wenig über die technische Vollkommenheit ihres Schmuckes aussagen. Einige vereinzelte Elemente —wie Kapitelle, Reste von Dekorationen, usw.— die in Andalusien gefunden wurden, lassen die Vermutung zu, dass vielleicht neue Forschungen an den Orten, der Auftakt zu einem bisher unbekannten Abschnitt sein könnte und dass auch die Baukunst ihren Platz innerhalb der iberischen Kunst finden kann. Vorläufig jedoch, ist man nicht in der Lage über die aufgestellten Hypothesen hinauszugehen und die Baukunst in das Essay über die Kunst im allgemeinen der iberischen Völker einzuschliessen.

ibéricas. Pero de momento no estamos en condiciones de ir más allá en nuestras hipótesis y de incluir la arquitectura en un ensayo sobre el arte de los pueblos ibéricos.

La escultura hemos de verla en sus dos facetas. Por una parte, la escultura en piedra, más o menos monumental, pero siempre de proporciones mayores. Y por otra, las series de estatuillas en bronce y en tierra cocida.

La escultura en piedra aparece como un fenómeno estrictamente limitado al sector sur del área ibérica, que podemos delimitar en el río Júcar. Al norte sólo algún caso esporádico, como el toro de Sagunto, nos permite establecer que —como es lógico— no existe una frontera rígida. La temática presenta dos modalidades: la figura humana y la animalística.

Las figuras humanas las conocemos fundamentalmente a través de dos lotes famosos, ya citados; el de Elche, la antigua Ilici, ya que recientemente a la «Dama» hay que añadirle varias piezas más, y el del santuario del «Cerro de los Santos» en Montealegre del Castillo, Albacete, el más numeroso hasta ahora, constituido por una serie de figuras principalmente femeninas, algunas de tamaño casi

The sculpture in stone would seem to have been a phenomenon strictly limited to the southern sector of the Iberian area, which we may delimit at the river Júcar. To the north only an occasional, sporadic case, like the bull of Sagunto, permits us to conclude that —as is only logical— there exists no rigid frontier. The subject matter is of two kinds: the human figure and the representations of animals.

The human figures are known to us, basically, through two famous lots which we have already mentioned; that of Elche, the ancient Ilici, since the «Lady» has recently been joined by several other pieces, and that of the sanctuary of the «Hill of the Saints» in Montealegre del Castillo, Albacete, which is the largest yet discovered, consisting of a series of figures, mainly female, some of which are almost life-size, representations of goddesses, priestesses or offerers of gifts. To these two groups must be added other representations which have been discovered, either alone or in small numbers, in Andalusia —in the neighbourhood of Seville— and in Albacete.

More widely dispersed are the animal sculptures, partly formed by representations of lions, bulls and other real animals, partly consisting of figures from the most ancient depths of mythology,

54. Détail d'une figure féminine assise, mutilée, trouvée à La Alcudia d'Elche. Collection Ramos Folques, Elche.

54. *Detail einer sitzenden weiblichen Figur, verstümmelt. Sie wurde in La Alcudia de Elche gefunden. Sammlung Ramos Folques. Elche.*

natural, representaciones de diosas, sacerdotisas u oferentes. A estos dos conjuntos hay que añadir otras representaciones aparecidas sueltas o en escaso número en Andalucía —hasta las proximidades de Sevilla— y en Albacete.

Más disperso es el conjunto de escultura animalística, en parte con representaciones de leones, toros y otros animales reales, en parte por figuras procedentes del viejo fondo mitológico, imposibles de identificar con seguridad por no responder a tipos reales. El trasfondo religioso de estas piezas es indudable, pero, en general, se carece de datos suficientes para asignarles un destino seguro. Podían en ciertos casos haber pertenecido a santuarios, mientras que en otros cabe que se alzaran al lado de caminos o incluso como límites.

En todo caso, estéticamente, figuras humanas y representaciones de animales, reales o fabulosos, forman un mismo mundo, el que más nos revela las características artísticas y técnicas del arte ibérico. Su unidad, en este sentido, no ofrece dudas. Sus creadores supieron obtener una enorme fuerza expresiva partiendo de técnicas sobrias, en ciertos casos incluso primarias, a las que no falta el se-

impossible to identify with any certainty since they do not correspond to real types. The religious intention of these pieces is undoubtable but, generally speaking, we lack sufficient data to assign them any definite function. In certain cases they may have belonged to sanctuaries, while in others it seems possible that they were erected by the roadside or may even have been used as milestones.

Aesthetically, in any case, human figures and representations of animals, real or fabulous, form one and the same world, the one which shows us most of the artistic and technical characteristics of Iberian art. Their unity in this sense leaves no room for doubt. Their creators succeeded in obtaining an enormous force of expression with the use of techniques which are sober, and in certain cases even primary, but which do not lack that secret refinement to be found in so much of primitive art. It may be this that most appeals to us now, when we look at them with our eyes somewhat wearied by the sediment left in our subconscious by so many centuries of artistic essays. The parallelism with the archaic Greek phase, so often quoted in treatises, has undoubtedly a basis of direct influence, although chronologically all the Iberian sculptural art that we know is subsequent to the 5th century B.C. But not all is imitation. It also

trouvera sa place parmi les arts ibériques. Pour le moment, toutefois, nous ne sommes pas en mesure d'aller plus loin dans notre hypothèse, ni d'inclure l'architecture dans un essai sur l'art des peuples ibériques.

Nous devons examiner la sculpture sous ses deux facettes: la sculpture en pierre, plus ou moins monumentale mais toujours de grandes proportions, et les séries de statuettes de bronze et de terre cuite.

La sculpture en pierre apparaît comme un phénomène strictement limité au secteur sud de l'aire ibérique, que nous pouvons délimiter par le fleuve Júcar. Au nord, seuls quelques cas sporadiques, comme à Toro de Sagunto, nous permettent de constater qu'en toute logique il n'existe pas de frontière rigide. Les thèmes présentent deux manifestations: la figure humaine et la figure animale.

Nous connaissons fondamentalement la figure humaine à travers les deux fameux lots déjà cités: celui d'Elche, l'ancienne Illici, puisque depuis peu il faut ajouter à la Dame plusieurs pièces, et celui du Sanctuaire de la Colline des Saints, à Montealegre del Castillo (Albacete), le plus abondant, composé d'une série de figures principalement féminines,

Auch die Bildhauerkunst muss von ihren beiden Facetten aus betrachtet werden. Einmal von den mehr oder weniger monumentalen Steinskulpturen grösseren Ausmasses und zum anderen, von den kleinen zahlreichen Bronze- und Terrakottastatuetten aus.

Die Steinskulptur erscheint als ein Phänomen, das strikte auf den südlichen Teil des iberischen Gebietes beschränkt bleibt, das wir etwa bei dem Fluss Júcar begrenzen können. Im Norden zeigen uns vereinzelt vorkommende Fälle, wie in Toro de Sagunto, dass man keine strenge Grenze ziehen kann. Die Thematik zeigt uns zwei Formen: die menschliche und die tierische Darstellung.

Die menschlichen Formen kennen wir grundsätzlich von zwei berühmten, bereits erwähnten, Sammlungen her; derjenigen aus Elche, dem alten «Ilici», da man kürzlich der «Dama» noch verschiedene andere Stücke zugesellen konnte, und der anderen aus dem Heiligtum vom «Cerro de los Santos» in Montealegre del Castillo, Albacete, stammenden Sammlung, die bei weitem der bisher zahlreichste Fund ist, der sich aus einer Reihe weiblicher Figuren zusammensetzt, von denen einige fast naturgross sind und Göttinnen, Priesterinnen und Opfernde darstellen. Diesen beiden Sammlungen kann man

55, 56, 57.   Tres aspectos de una cabeza masculina.

55, 56, 57.   *Three aspects of a masculine head.*

55, 56, 57. Trois aspects d'une tête masculine.   55, 56, 57. *Drei verschiedene Ansichten eines Männerkopfes.*

57

58. Cabeza de piedra de Caudete (Albacete). Museo de Villena (Alicante).

58. *Head in stone from Caudete (Albacete). Museum of Villena (Alicante).*

58. Tête de pierre de Caudete (Albacete). Musée de Villena (Alicante).

58. *Kopf aus Stein aus Caudete (Albacete). Museo de Villena (Alicante).*

quelques-unes de grandeur presque naturelle, représentant des déesses, prêtresses ou porteuses d'offrandes. Il faut ajouter à ces deux ensembles d'autres représentations trouvées seules ou en nombre réduit en Andalousie —jusqu'aux environs de Séville— et à Albacete.

Les sculptures d'animaux sont plus éparpillées et comprennent en partie des représentations de lions, de taureaux et d'autres animaux réels, et en partie des figures provenant du vieux fonds mythologique et d'identification impossible parce que ne correspondant pas à des types réels. L'intention religieuse de ces pièces est évidente, mais on manque généralement de faits permettant de leur donner une destination certaine. Elles pouvaient dans certains cas avoir appartenu à des sanctuaires; d'autres pouvaient avoir été situées à la lisière des chemins ou même comme jalons.

Esthétiquement, en tous cas, figures humaines et représentations d'animaux réels ou fabuleux appartiennent au même monde, celui qui nous révèle le mieux les caractéristiques artistiques et techniques de l'art ibérique. Leur unité n'offre ici aucun doute. Leurs créateurs surent obtenir une énorme force expressive à partir de techniques sobres, primaires même

noch die in Andalusien, bis in die Nähe von Sevilla, und in Albacete, gefundenen Einzelstücke hinzufügen.

Weit verstreuter sind die Sammlungen der Tierskulpturen, die teilweise Löwen, Stiere und andere königliche Tiere darstellen. Andere wiederum stellen Figuren dar, die aus dem alten mythologischen Grundstamm kommen und die schwer zu identifizieren sind, gerade weil sie nicht der Wirklichkeit entsprechen. Der religiöse Hintergrund dieser Werke kann nicht bezweifelt werden, doch fehlen, im allgemeinen, die notwendigen Daten um sie einer sicheren Bestimmung einfügen zu können. Teilweise können sie gut Heiligtümern angehört haben, während andere wieder als Wegweiser oder Grenzsteine gedient haben mögen.

Vom kunstwissenschaftlichen Standpunkt aus betrachtet, gehören die Darstellungen von Menschen und Tieren, ob der Wirklichkeit entsprechend oder der Fabel angehörend, einer gleichen Welt an, und zwar derjenigen, die uns am besten die künstlerischen und technischen Eigenheiten der iberischen Kunst enthüllt. Ihre Übereinstimmung lässt in diesem Falle keinen Zweifel zu. Die Schöpfer dieser Kunstwerke konnten denselben eine unheimliche Ausdruckskraft verleihen, indem sie von einer mässigen, in

59, 60, 61. Aspecto general y detalles de la llamada Gran Dama, figura de oferente, en piedra, del Cerro de los Santos. Museo Arqueológico Nacional de Madrid.

59, 60, 61. General aspect and details of the so-called «Great Lady», an offering figure in stone from the Cerro de los Santos. National Archaeological Museum, Madrid.

creto refinamiento propio de muchas artes primitivas. Es posiblemente lo que más nos atrae ahora, cuando los miramos con nuestros ojos algo cansados por los sedimentos que tantos siglos de ensayos artísticos han dejado en nuestro inconsciente. El paralelismo con la fase arcaica griega, que tan a menudo han citado los tratadistas, tiene, sin duda, un fondo de influencia directa, si bien cronológicamente todo el arte escultórico ibérico que conocemos es posterior al siglo v a. J.C. Pero no todo es imitación. Surge asimismo de un fondo espiritual y social que no anda tan lejos del que tiene como trasfondo y raíz la escultura griega de los siglos VII y VI.

En este sentido no hemos de dejarnos absorber demasiado por el método comparativo, siempre útil pero siempre peligroso, como es todo estudio de detalle sin beber en las mismas raíces de las cosas.

La pequeña escultura, dentro de la misma corriente histórica y estilística, es otra cosa. Es arte básicamente destinado a un público mucho más amplio. El lote mayor lo conocemos por los hallazgos de los santuarios de Sierra Morena, en torno a Despeñaperros: Castillar de Santisteban y el Collado de los Jardines.

arises from a spiritual and social background which is not so far removed from that which serves as origin and root for Greek sculpture in the 7th and 6th centuries B.C. In this aspect we must not allow ourselves to be too much absorbed by the comparative method, always useful but always dangerous, as is any study of detail which neglects the roots.

The small sculptures, within the same historical and stylistic line, are something else again. This is art basically intended for a much wider public. The greatest lot we know comes from the finds made in the sanctuaries of Sierra Morena, near Despeñaperros: Castillar de Santisteban and the Collado de los Jardines.

For several centuries the faithful deposited their votive offerings, almost always in bronze, and the number so far recovered is very large, though it is difficult to study them in their totality, on account of the enormous dispersion they have suffered among museums and private collections. In spite of the length of time these little creations continued, in general lines the style is common to all. The diversities between one piece and another are more likely to be a matter of the chronology of the different workshops or craftsmen. Some achieve real quality, while others are little more than extremely schematic represen-

dans certains cas, qui ne manquent cependant pas du secret raffinement propre à nombre d'arts primitifs. C'est peut-être ce qui nous attire le plus maintenant, lorsque nous les contemplons d'un œil quelque peu fatigué par les sédiments laissés dans notre subconscient par tant de siècles d'essais artistiques. Le parallélisme avec la phase archaïque grecque, si fréquemment cité par les auteurs de traités, a sans doute un fond d'influence directe, bien que tout l'art sculptural ibérique que nous connaissons soit chronologiquement postérieur au vème siècle avant J.-C. Mais tout n'est pas imitation. Il surgit aussi d'un fond spirituel et social qui n'est pas tellement éloigné de celui qui a pour essence et racine la sculpture grecque des VIIème et VIème siècles. Dans ce sens, nous ne devons pas nous laisser influencer outre mesure par la méthode comparative, toujours utile mais dangereuse, comme l'est toute étude de détails qui ne s'abreuve pas aux sources mêmes des choses.

Il en est autrement pour la petite sculpture dans le même courant historique et stylistique. C'est un art fondamentalement destiné à un public beaucoup plus étendu. Nous en connaissons une grande collection grâce aux découvertes des sanctuaires de Sierra Morena, aux environs de Despeñaperros: Cas-

manchen Fällen sogar primitiven Technik ausgingen, der aber nicht die geheimnisvolle Vollkommenheit fehlt, die vielen primitiven Kunstwerken innewohnt. Wahrscheinlich ist auch dieses was uns am meisten daran anzieht, wenn wir sie mit unseren Augen betrachten, die von den Jahrhunderte alten Ablagerungen künstlerischer Essays in unserem Unterbewusstsein, etwas müde geworden sind. Der von den Essayisten so oft genannte Parallellismus mit der archaischen griechischen Phase, hat zweifellos einen direkten Hintergrund, obwohl die ganzen bisher bekannten iberischen Skulpturen zeitgemäss später als das V. Jh. v. Chr. eingereiht werden können. Aber nicht alles ist eine Nachahmung oder Fälschung. Es entspringt auch einem geistigen und sozialen Stammgut, das gar nicht so weit entfernt ist von dem, mit dem die griechische Bildhauerei des VII. und VI. Jahrhunderts verwurzelt ist. In diesem Sinne darf man sich nicht zu sehr von der Methode des Vergleichens verleiten lassen, die zwar notwendig und nützlich aber ebenso gefährlich sein kann, wie es jede ins einzelne gehende Studie ist, wenn nicht aus den gleichen Wurzeln der Dinge geschöpft wird.

Die kleine Skulptur, innerhalb der gleichen historischen und stilistischen Strömung, ist etwas ganz anderes. Hier handelt es sich um eine

59

Durante varios siglos los devotos fueron depositando los pequeños exvotos, casi siempre de bronce, y el número que se ha recuperado hasta hoy es elevadísimo, aunque sea difícil estudiarlo totalmente, debido a la enorme dispersión de que ha sido objeto entre museos y colecciones particulares. A pesar de la larga duración de estas pequeñas creaciones, el estilo se mantiene común, en sus líneas generales. Las diversidades entre una y otra pieza dependen más que de la cronología de los distintos talleres o artesanos. Unos consiguen verdadera calidad, mientras que otros son poco más que representaciones sumamente esquemáticas de un hombre de pie que presentan el aspecto de un clavo o poco menos. Siempre pueden ser interpretadas como oferentes en unos casos por su actitud probablemente orante, en otros por asimilación, como cuando se trata de jinetes.

Si bien la inmensa mayoría de las conocidas proceden de los dos centros señalados, otros pequeños bronces han sido encontrados también en santuarios similares, como el de La Luz, en las proximidades de Murcia —del que se obtuvo un lote relativamente numeroso y de buena calidad— o de otros dispersos por Andalucía Oriental, sobre todo en la misma provincia de Jaén, donde están los dos citados.

tations of a man standing, looking like a nail, or almost. They may always be interpreted as offerers of gifts, in some cases by their probably praying posture, in others by assimilation, as in the case of horsemen.

Though the vast majority of those known are from the two centres mentioned, other small bronzes have also been found in similar sanctuaries, such as that of La Luz, in the vicinity of Murcia —in which was found a relatively large lot, and one of good quality— or others scattered around eastern Andalusia, above all in the province of Jaén, which is where the two previously mentioned are also situated.

In the places where the bronzes have appeared some finds were also made, though very sporadically, of similar little figures in terra cotta. But the only big find of this form so far known is that made in the sanctuary beside the Iberian settlement of La Serreta, in the vicinity of Alcoy, in the mountainous southern region of Valencia, a find which is today one of the attractions of the little Museum of Alcoy. It consists of a numerous series of little figures, mainly female, some of them much influenced by Mediterranean —Greek and Punic— trends, while others are the expression of a popular art which is at once rough and expressive. As in the previous case,

tellar de Santisteban et le Collado de los Jardines.

Plusieurs siècles durant, les dévots ont déposé des petits ex-voto, presque toujours de bronze, et on en a récupéré jusqu'ici un très grand nombre ; il est pourtant difficile d'en faire une étude complète, à cause de leur énorme dispersion dans les musées et collections privées. Malgré la longue durée de ces petites créations, leur style n'a pas changé dans ses lignes générales. Les variations d'une pièce à l'autre dépendent moins de la chronologie que des divers ateliers ou artisans. Les unes atteignent une vraie qualité ; d'autres ne sont que des représentations très schématiques d'un homme debout ayant plus ou moins l'aspect d'un clou. On peut toujours les interpréter comme des porteurs d'offrandes, dans certains cas de par leur attitude probablement de prière, et dans d'autres par analogie, comme dans le cas des cavaliers.

L'immense majorité des pièces connues proviennent des deux centres signalés ; d'autres petits bronzes on été trouvés dans des sanctuaires semblables, comme celui de La Luz aux environs de Murcie —d'où l'on a extrait un lot relativement abondant et de bonne qualité— ou d'autres dispersés en Andalousie

Kunst, die grundsätzlich für ein breiteres Publikum bestimmt ist. Den grössten dieser Posten kennen wir von den Funden her, die in den Heiligtümern der Sierra Morena, in der Umgebung von Despeñaperros gemacht wurden : Castillar de Santisteban und Collado de los Jardines. Jahrhundertelang haben die Frommen ihre kleinen Votivfiguren, meistens aus Bronze, dort abgegeben und die Zahl der wiedergefundenen Sachen ist unermesslich gross, obwohl es schwer ist alles zu erforschen, weil sie zwischen Museen und Privatsammlungen sehr verstreut sind. Trotz der langen Dauer dieser kleinen Kunstwerke, ist ihr Stil, in der allgemeinen Linienführung, sehr einheitlich geblieben. Die Unterschiede zwischen dem einen oder dem anderen Stück sind weniger auf die Chronologie als auf die verschiedenen Werkstätten und Kunsthandwerker zurückzuführen. Einige dieser Stücke sind wirklich wertvoll, während andere wieder nichts anderes als die schematische Darstellung eines stehenden Menschen sind, die einem Nagel nicht unähnlich sind. Auf jeden Fall kann man sie teilweise als Opfernde betrachten, wegen ihrer wahrscheinlich betenden Stellung, und andere wieder als Verschmelzungen, als ob es sich um Reiter handele.

Obwohl die meisten der bekannten Kunstwerke aus den beiden genannten Fundorten stammen, wurden andere kleinen Bronzen in ähnlichen

62. Figura en piedra de oferente. Cerro de los Santos. Museo Arqueológico Nacional de Madrid.

63. Cabeza en piedra. Cerro de los Santos. Museo de Arqueología de Barcelona.

62. *Figure of offerer in stone. Cerro de los Santos. National Archaeological Museum, Madrid.*

63. *Head in stone. Cerro de los Santos. Archaeological Museum of Barcelona.*

62

62. Figure en pierre d'offrant. Cerro de los Santos. Musée Archéologique National de Madrid.

63. Tête de pierre. Cerro de los Santos. Musée d'Archéologie de Barcelone.

62. *Figur einer Opfernden aus Stein. Cerro de los Santos. Museo Arqueológico Nacional. Madrid.*

63. *Kopf aus Stein. Cerro de los Santos. Museo de Arqueología. Barcelona.*

64. Grupo de terracota, representando a una diosa-madre con dos niños en los brazos, flanqueada por una madre y niño a un lado y dos flautistas en otro. Hallada recientemente en el poblado de La Serreta de Alcoy. Museo de Alcoy.

64. *Group in terracotta, representing a goddess-mother with two children in her arms, flanked by a mother and child on one side and two flautists on the other. Recently discovered in the settlement of La Serreta de Alcoy. Museum of Alcoy.*

En los lugares donde han aparecido los bronces se hallaron también, muy esporádicamente, figuritas similares de tierra cocida. Pero el único gran lote conocido hasta la fecha de esta modalidad es el que proviene del santuario junto al poblado ibérico de La Serreta, en las proximidades de Alcoy, en la zona montañosa meridional valenciana, que hoy constituye uno de los atractivos del pequeño Museo de Alcoy. Se trata en este caso de una numerosa serie de figuritas, femeninas en su mayoría, unas muy influidas por las corrientes mediterráneas —griega y púnica—; otras, muestras de un arte popular a la vez tosco y expresivo. Como en el caso anterior, no hay duda que se trata de piezas ofrecidas al santuario como exvoto por sus visitantes, si bien no parece que tengan ahí el valor de presentaciones de los oferentes que reflejan en su mayoría la divinidad adorada en el santuario.

La coroplastia ibérica se extiende por todo el territorio litoral mediterráneo, mucho más al norte del límite que antes hemos marcado para la escultura monumental en piedra, pero hay que señalar la escasez de los hallazgos. De tipo similar a las piezas más primarias de Alcoy, poseemos, en efecto, ejemplares hallados en Cataluña, pero siempre en número muy escaso y sin formar lotes homogéneos.

there is no doubt that these are pieces offered by visitors to the sanctuary as votive offerings, though here they do not seem to have the value of presentations by the offerers, the majority of which represent the divinity worshipped in the sanctuary.

This form of Iberian art extends all along the Mediterranean littoral, much farther north of the limit we have previously mentioned for stone sculpture, but is should also be remembered that the finds are very few and far between. Of similar type to the more primary pieces of Alcoy we have indeed some examples found in Catalonia, but always in very small numbers and not forming homogeneous lots.

Another aspect, also very considerable, is painting. We do not know how highly developed pictorial mural decoration was in the Iberian world. The type of building which we have been able to study so far does not encourage any great optimism in this respect. In any case, when we refer to Iberian painting today, it must be understood that we are speaking of painting on ceramic.

Of this painting a fairly abundant representation has survived. This abundance is explained by the utilitarian nature of the painted jars.

64. Groupe de terre cuite, représentant une déesse-mère portant deux enfants dans ses bras, flanquée d'un côté d'une mère et d'un enfant et de
l'autre de deux joueurs de flûte. Trouvée récemment dans la localité
de La Serreta d'Alcoy. Musée d'Alcoy.

64. Gruppe aus Terrakotta. Darstellung einer Mutter-Göttin mit zwei Kindern
auf den Armen, umgeben von einer Mutter mit Kind auf der einen Seite
und zwei Flötenspielern auf der anderen. Sie wurde kürzlich in der Siedlung
von La Serreta de Alcoy gefunden. Museum von Alcoy.

orientale et surtout dans la province de Jaén où se situent les deux centres précités.

Sur les mêmes lieux qu'apparurent les bronzes, on a trouvé aussi, très sporadiquement, de petites figures semblables en terre cuite. Le seul grand lot de ce genre connu à ce jour est celui provenant du sanctuaire proche du village ibérique de La Serreta, aux environs d'Alcoy, dans la zone montagneuse méridionale valencienne, et qui constitue actuellement un des attraits du petit Musée d'Alcoy. Il s'agit d'une abondante série de petites figures, féminines la plupart, dont quelques-unes sont très influencées par les courants méditerranéens —grec et punique—, et d'autres sont des échantillons d'art populaire à la fois rude et expressif. Comme dans le cas précédent, il s'agit sans nul doute de pièces offertes au sanctuaire à titre d'ex-voto par ses visiteurs; il ne semble pourtant pas qu'elles aient ici la valeur représentative des porteurs d'offrandes que reflète dans la plupart des cas la divinité adorée dans le sanctuaire.

L'iconoplastique ibérique s'étend sur tout le territoire du littoral méditerranéen, bien plus au nord de la limite que nous avons indiquée précédemment pour la sculpture

Heiligtümern gefunden wie dem von La Luz in der Nähe von Murcia — bei welchen Ausgrabungen ein sehr zahlreicher und wertvoller Posten gefunden wurde—, oder von anderen weitverstreut im östlichen Andalusien liegenden Heiligtümern, vor allem aus der Provinz Jaén, wo schon andere bereits erwähnte gefunden wurde.

An den Orten, wo die Bronzen gefunden wurden, fand man auch kleine ähnliche Figuren aus Terrakotta; doch der bisher bekannteste Posten dieser Art, stammt aus den Ausgrabungen des in der Nähe der iberischen Siedlung La Serreta bei Alcoy, im südlichen Gebirgsteil von Valencia, gelegenen Heiligtums. Es handelt sich hierbei um eine ganze Reihe kleiner, meistens weiblicher Figuren, von denen einige den starken Einfluss der mittelmeerischen Strömungen—griechische und punische— aufweisen, während andere wieder einer groben aber ausdrucksvollen Volkskunst zu entstammen scheinen. Wie in den anderen Fällen, so scheinen auch diese Figuren dem Heiligtum als Votivgaben von den Besuchern gebracht worden zu sein, obwohl sie anscheinend nicht als solche betrachtet wurden, sondern eher die Opfernden darstellen, die in der Mehrzahl die Gottheit vorstellen, die in dem Heiligtum angebetet wurde. Die iberische Kunst der weiblichen Tonplastiken erstreckt sich an der ganzen Mittelmeerküste entlang, viel weiter

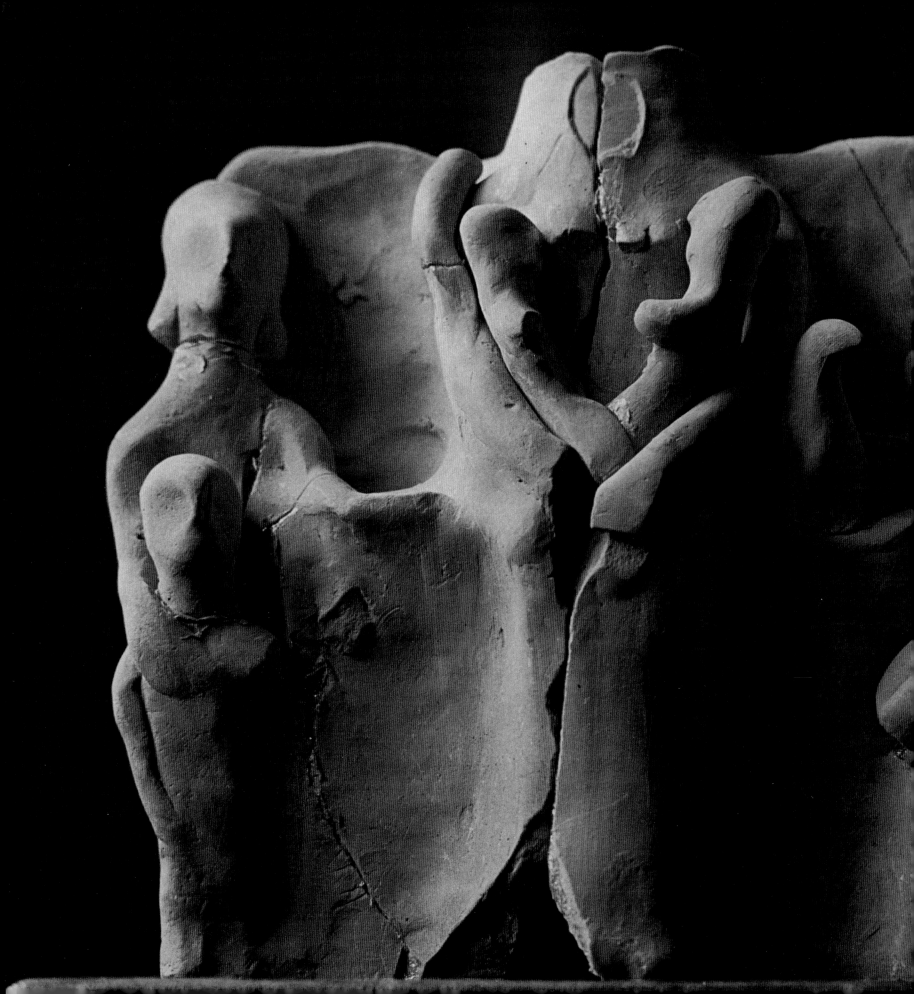

64

nach Norden zu als Anfangs als Grenze für die monumentalen Steindenkmäler angegeben wurde, doch muss immer wieder die Kargheit der Funde betont werden. Im Stil den primärsten von Alcoy ähnlich, besitzen wir auch einige Exemplare, die in Katalonien gefunden wurden; aber nur sehr wenige und ohne einen gleichartigen Posten zu bilden.

Einen weiteren, sehr bedeutenden Gesichtspunkt bildet die Malerei. Nichts genaues weiss man darüber, inwieweit die Wandmalerei als Dekoration in der iberischen Umwelt bestanden hat. Die Gebäude, die bisher auf dieses Gebiet hin erforscht wurden, haben wenig geboten und man kann in dieser Hinsicht nicht sonderlich optimistisch sein. Auf jeden Fall aber, wenn von der iberischen Malerei gesprochen wird, muss man darunter die Keramikmalerei verstehen.

Von dieser ist sehr viel erhalten geblieben. Der Nützlichkeitswert der gefundenen dekorierten Gefässe ist in seiner Menge sehr beeindruckend. Wenn man an die Ergebnisse der Ausgrabungen nicht gewöhnt ist, staunt man ob der Fülle von bemalten Keramikgegenständen, die in den Siedlungen gefunden werden.

Stilgemäss bilden sie drei verschiedene Typen. 1.) Ausschliesslich geometrische Dekoration, die

65. Figurita de bronce del Santuario de Castillar de Santisteban (Jaén). Museo de Arqueología de Barcelona.
66. Oferente. Escultura en piedra, Cerro de los Santos. Museo Arqueológico Nacional de Madrid.

65. Bronze figurine from the sanctuary of Castillar de Santisteban (Jaén). Archaeological Museum of Barcelona.
66. Offerer. Sculpture in stone. Cerro de los Santos. National Archaeological Museum, Madrid.

Otro aspecto, también muy considerable, es la pintura. Ignoramos hasta qué punto existió en el ambiente ibérico decoración mural pictórica. El tipo de edificios que se han podido estudiar hasta ahora no permiten ser muy optimistas sobre este punto. En todo caso cuando nos referimos a la pintura ibérica hay que entender, hoy, por hoy, la pintura sobre cerámica.

De ésta nos ha quedado una representación considerablemente numerosa. El carácter utilitario de las vasijas pintadas impone su cantidad. Es sorprendente —cuando no se está habituado a los resultados de las excavaciones— comprobar la cantidad de cerámica que se halla en los poblados, de la que un buen tanto por ciento es pintada.

Por su estilo, corresponde a tres tipos distintos: 1) Decoración exclusivamente geométrica formada en lo esencial por franjas y bandas horizontales, paralelas entre sí, a las que pueden unirse otros elementos como semicírculos concéntricos, meandros, etc. Es el tipo más simple, que si bien con frecuencia consigue plenamente su función decorativa (incluso a veces con mayor elegancia que en los casos siguientes) presenta un interés secundario como pintura en sí. Lo hallamos en

It is surprising, if one is not accustomed to the results of excavations, to discover the amount of ceramic work to be found in the settlements, a large percentage of it being painted.

In style it is divided into three different types: 1) Exclusively geometrical decoration, principally consisting of horizontal strips and bands, parallel to one another, to which may be added other elements, such as concentric semicircles, meanders, etc. This is the simplest type and though it frequently fulfills its decorative function perfectly (sometimes even more elegantly than in the following cases), it is of secondary interest as painting in itself. This we find throughout the area of expansion of Iberian culture, from the Languedoc to western Andalusia. It is also undoubtedly the oldest type, existing on its own from the 5th to the 3rd century B.C., though it also continued in later periods, right down to the extinction of Iberian culture.

2) The decorations which alternate geometrical designs with floral subjects —especially leaves— and with figures of animals, birds and carnivores, frequently depicting only the head of these, always in a posture of ecstasy, which gives them a certain appearance of heraldic beasts, the thematic origin of which should be sought in religious motives. Some female figures with

65. Figurine de bronze du Sanctuaire de Castillar de Santisteban (Jaén). Musée d'Archéologie de Barcelone.

66. Offrant. Sculpture de pierre. Cerro de los Santos. Musée Archéologique National de Madrid.

65. *Kleine Bronzefigur aus dem Heiligtum von Castillar de Santisteban (Jaén). Museo de Arqueología. Barcelona.*

66. *Opfernde. Steinskulptur. Cerro de los Santos. Museo Arqueológico Nacional. Madrid.*

monumentale en pierre; il faut toutefois signaler la rareté des découvertes. Nous possédons en effet, trouvés en Catalogne, des exemplaires semblables aux pièces les plus primitives d'Alcoy, mais toujours en nombre réduit et ne formant pas des lots homogènes.

La peinture constitue une autre facette également considérable. Nous ignorons jusqu'à quel point il exista une décoration murale à la peinture dans le cadre ibérique. Les édifices étudiés jusqu'ici ne permettent pas d'être très optimistes à ce sujet. Lorsque nous parlons de peinture ibérique, c'est de peinture sur céramique qu'il s'agit.

Il nous est resté de cette peinture une abondante représentation. Le caractère utilitaire des vaisselles peintes s'impose. Quand on n'est pas habitué aux résultats des fouilles, il est frappant de constater la quantité de céramique qui se trouve dans les villages et dont une grande partie est peinte.

Elle correspond, par son style, à trois catégories différentes: 1) décoration exclusivement géométrique, formée essentiellement de franges et de bandes horizontales, parallèles entre elles, auxquelles peuvent s'ajouter d'autres éléments comme des demi-cercles concen-

im wesentlichen durch waagerechte Streifen und Borten dargestellt wird, die parallel zueinander verlaufen und denen noch andere Elemente wie konzentrische Halbkreise, Friesverzierungen usw. beigegeben werden können. Es ist dies die einfachste Art, die aber als Malerei an sich nur ein zweitrangiges Interesse aufweist, obwohl die Gegenstände dekorationsmässig gesehen, viel eleganter wirken als die nächste Gruppe. Wir finden diese Keramikart im gesamten iberischen Kulturbereich von Languedoc bis Westandalusien. Zweifellos ist sie auch die älteste, die vom V. bis zum III. Jh.v.Chr. als einzige, sämtliche spätere Epochen bis zum Untergang des Iberismus überdauert hat. 2.) Die Dekorationen dieser Type, in der die geometrischen Themen mit Blumenmotiven —vor allem Blättern- und Tiergestalten, Vögel und Raubtieren, abwechseln, von denen meistens nur die Köpfe gemalt wurden und diese stets in statischer Haltung, wodurch sie wie Wappentiere wirken. Ihren thematischen Urpsrung muss man im Religiösen suchen. Einige der weiblichen, mit Flügeln versehenen Figuren, die wahrscheinlich einheimische Göttinen darstellen sollen, beweisen den Ursprung der gesamten figürlichen Darstellung dieser Art. Vom kunstwissenschaftlichen Standpunkt aus gesehen, hebt sich mit voller Kraft die erreichte Ausführung ab, sowie die Besessenheit, mit der man alle Vertiefungen

66

mit nebensächlichen Motiven aller Art auszufüllen trachtet, die ein Gefühl der Überladung vermitteln, obwohl sie nicht an die nächste Gruppe herankommen. Dieser zweite Stil ist typisch für den südöstlichen Teil der Halbinsel und wurde als Elche-Archena bezeichnet, indem man auf die Namen der beiden Ortschaften dieses Gebietes zurückgriff, aus denen diese charakteristischen Exemplare herstammen.

3.) Die letzte Entwicklungsphase dieser Malerei entstand, geographisch gesehen, in einem Teil der valencianischen Zone und dringt bis nach Aragonien, Murcia und, in viel kleinerem Masse, bis nach Katalonien vor. Jetzt erscheinen die erzählenden Friese mit Darstellungen verschiedener Szenen: Jagd, Krieg, Tanz usw. Nach langwierigen Diskussionen, kann heute gesagt werden, dass es sich um eine relative Spätentwicklung handelt und sämtliche bis heute bekannte Werke im II. und I. Jh.v.Chr. gemalt wurden, das heisst, als die Römer bereits das Land beherrschten, ihre Kultur aber noch nicht durchgedrungen und der inländische Iberismus noch in grossen Zügen erhalten war. Abgesehen von dem grossen Interessse, das die so bemalten Becher als Aussage über die Lebensform jener Zeit —etwa wie eine Bildzeitung— darstellen und dem Eifer, mit dem die Sprachforscher sich an die Arbeit machten um die iberische Spra-

toda el área de expansión de la cultura ibérica, desde el Languedoc hasta la Andalucía occidental. Asimismo es, sin duda, el tipo más antiguo, existiendo desde el siglo V al III como único, si bien perdura luego en las épocas siguientes hasta la extinción del iberismo.

2) Las decoraciones que alternan los temas geométricos con los florales —hojas sobre todo— y con figuras de animales, pájaros y carnívoros, de los que con frecuencia sólo se dibuja la cabeza, siempre en actitud estática, que les confiere cierto aspecto de motivos heráldicos y cuyo origen temático debe buscarse en aspectos religiosos. Algunas figuras femeninas con alas, que representan diosas indígenas según toda versemblanza, confirman la filiación de todo el conjunto de figuraciones de este estilo. Estéticamente destaca la fuerza de ejecución conseguida, así como la obsesión para rellenar los fondos con toda clase de motivos secundarios, que produce una sensación de barroquismo, aun sin llegar a alcanzar el grado del grupo siguiente. Este estilo es típico del sector del sudeste de la Península y ha sido denominado Elche-Archena tomando los nombres de dos localidades de la señalada área de donde provienen ejemplares bien característicos.

wings, representing local goddesses in all probability, confirm the characteristics of the whole of the figurations in this style. Aesthetically remarkable is the strength of technique achieved, as also the obsession with filling in the backgrounds with all kinds of secondary motifs, which produces a sensation of the baroque, though without reaching the same extent in this aspect as the following group. This style is typical of the southeastern part of the peninsula and has been called the Elche-Archena style, from the names of two areas in this region which have yielded very characteristic specimens.

3) The last phase in the development of painting is geographically centred in part of the region of Valencia, with some offshoots in Aragon, Murcia and, though on a much smaller scale, Catalonia. Here we are presented with narrative friezes, representing various scenes: hunting, war, dancing, etc. After long arguments we can now affirm that this is a relatively late development and that all the pieces that we know in this style were painted in the 2nd and 1st centuries B.C., i.e., when the Romans already dominated the country, even though their civilization had not yet succeeded in penetrating and the indigenous Iberianism was still intact to a large extent. Apart from the great interest of the vases painted in this style, as a source of in-

triques, des lignes sinueuses, etc. C'est le type le plus simple, qui, tout en remplissant pleinement sa fonction décorative (parfois même avec plus d'élégance que dans les cas ultérieurs), offre un intérêt secondaire comme peinture en soi. Nous le trouvons dans toute l'aire d'expansion de la culture ibérique, du Languedoc à l'Andalousie occidentale. C'est sans doute aussi le type le plus ancien; il existe du vème au iiième siècles d'une manière unique, et il persiste aux époques suivantes, jusqu'à l'extinction de l'ibérisme.

2) Décorations où alternent les thèmes géométriques et floraux —surtout des feuilles— et les figures d'animaux, oiseaux et carnivores, dont n'est fréquemment dessinée que la tête, toujours dans une attitude statique qui leur confère un certain aspect de figures héraldiques et dont l'origine thématique doit être cherchée dans l'aspect religieux. Quelques figures féminines pourvues d'ailes, représentant vraisemblablement des déesses indigènes, confirment la filiation de tout l'ensemble des figures de ce style. Esthétiquement, on remarque la force d'exécution atteinte, ainsi que le souci de remplir les fonds au moyen de toutes sortes de motifs secondaires qui produisent une sensation de baroque, sans atteindre toutefois le degré présenté par

che zu entziffern, da viele der dargestellten Szenen beschriftet sind, stehen sie an erster Stelle innerhalb der iberischen Kunst und bilden zweifellos eines der fesselnsten Elemente. Die berühmtesten Sammlungen sind die, die aus der Siedlung beim Cerro de San Miguel bei Liria im mittleren Teil Valencias, herstammen, doch wird das Bild durch spätere Funde aus dem gleichen valencianischen Land abgerundet (La Serreta de Alcoy, Oliva, Benidorm, usw.) und erbringen den Beweis, dass dieser Kunststil über das gesamte Gebiet verbreitet war. Ausser in diesem Hauptzentrum, setzte er sich auch in einigen Teilen von Aragonien durch, wie man aus den Funden von Alloza im Norden der Provinz Teruel, im mittleren Ebrotal, schliessen kann.

Schliesslich bleibt noch die Metall- und Goldschmiedekunst zu betrachten, die aufsehenerregend und sehr reichhaltig ist, obwohl man den iberischen Erzeugnissen nicht die Schätze von Aliseda (Cáceres) noch die von El Caramboro (Sevilla) zuzählen kann, weil diese der tartessischen und nicht der iberischen Welt angehören. Da es sich andrerseits um Gegenstände handelt die chronologisch einer viel jüngeren Zeit angehören, können die Zweifel auf einem anderen Gebiet entstehen und zwar dann, wenn entschieden werden soll, ob es sich um importierte oder im Lande hergestellte Stücke handelt.

67. Figurita de bronce. Jinete del Santuario de La Luz, Murcia. Museo de Arqueología de Barcelona.

68. Figurita de bronce, muy ampliada, formando parte de una pareja de bueyes arando. Poblado de La Bastida de Mogente, Valencia. Museo de Prehistoria de Valencia.

67. *Bronze figurine. Rider from the sanctuary of La Luz, Murcia. Archaeological Museum of Barcelona.*

68. *Bronze figurine, greatly enlarged, forming part of a pair of oxen ploughing. Settlement of La Bastida de Mogente, Valencia. Prehistory Museum of Valencia.*

67

68

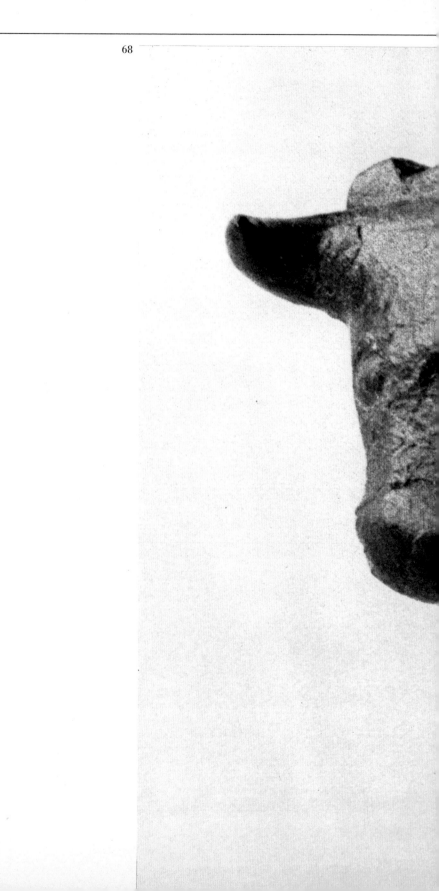

3) La última fase del desarrollo de la pintura se centra, geográficamente, en parte de la zona valenciana con intrusiones hacia Aragón, Murcia y, en mucha menor escala, Cataluña. Aparecen ahora los frisos narrativos, con representaciones de escenas diversas: de caza, de guerra, de danza, etc. Después de largas discusiones, hoy podemos afirmar que se trata de una evolución relativamente tardía

67. Figurine de bronze. Cavalier du Sanctuaire de La Luz, Murcie. Musée d'Archéologie de Barcelone.

68. Figurine de bronze, très agrandie, faisant partie d'une paire de boeufs en train de labourer. Localité de La Bastida de Mogente, Valencia. Musée de Préhistoire de Valencia.

67. Kleine Bronzefigur. Reiter aus dem Heiligtum de la Luz. Murcia. Museo de Arqueología. Barcelona.

68. Kleine Bronzefigur, stark vergrössert. Sie ist ein Teil eines pflügenden Ochsengespannes. Aus der Siedlung von La Bastida de Mogente (Valencia). Museo de Prehistoria. Valencia.

69, 70. Dos reversos de monedas ibéricas, mostrando el típico jinete característico de estas emisiones. Gabinete Numismático de Cataluña, Barcelona.

69, 70. Two reverses of Iberian coins, showing the typical horseman characteristic of these mintings. Numismatic Collection of Catalonia, Barcelona.

69, 70. Deux revers de monnaies ibériques, montrant le cavalier caractérisant ces émissions. Cabinet Numismatique de Catalogne, Barcelone.

69, 70. *Zwei Rückseiten iberischer Münzen mit dem typischen Kennzeichen derselben in Gestalt eines Reiters. Gabinete Numismático de Cataluña. Barcelona.*

70

71. Un sector de las ruinas de la ciudad ibérica del Tossal de Manises, Alicante, durante las excavaciones de 1967.

72. Guerrero con lanza. Pequeño bronce hallado en Els Plans, junto a Villajoyosa, Alicante. Museo Arqueológico de Alicante.

71. *A section of the ruins of the Iberian city of El Tossal de Manises, Alicante, during the 1967 excavations.*

72. *Warrior with spear. Small bronze found in Els Plans, near Villajoyosa, Alicante. Archaeological Museum of Alicante.*

71

71. Un secteur des ruines de la ville ibérique du Tossal de Manises, Alicante, pendant les excavations de 1967.

72. Guerrier portant une lance. Petit bronze trouvé à Els Plans, près de Villajoyosa, Alicante. Musée Archéologique d'Alicante.

71. *Eine Teilansicht der iberischen Ruinenstadt von Tossal de Manises (Alicante), während der Ausgrabungen im Jahr 1967.*

72. *Krieger mit Lanze. Kleine Bronze, die in Els Plans bei Villajoyosa (Alicante) gefunden wurde. Museo Arqueológico. Alicante.*

72

73. Detalle de un vaso pintado, del Tossal de Manises, Alicante. Museo Arqueológico de Alicante.

74. Un aspecto del yacimiento del Tossal de Manises de Alicante en la zona sin excavar.

73. *Detail of a painted vase, from El Tossal de Manises, Alicante. Archaeological Museum of Alicante.*

74. *A view of the deposits of El Tossal de Manises, Alicante, in the zone not yet excavated.*

73. *Détail d'un vase peint, du Tossal de Manises, Alicante. Musée Archéologique d'Alicante.*

74. *Un aspect du gisement du Tossal de Manises d'Alicante, zone non fouillée.*

73. *Detail einer bemalten Vase aus Tossal de Manises (Alicante). Museo Arqueológico. Alicante.*

74. *Eine Ansicht des Fundlagers von Tossal de Manises (Alicante) des noch nicht ausgegrabenen Teils.*

74

le groupe suivant. Ce style est typique du secteur sud-est de la péninsule et a été appelé d'Elche-Archena, du nom des deux localités de l'aire d'où proviennent des exemplaires fort caractéristiques.

3) La dernière phase du développement de la peinture se centre géographiquement sur une partie de la zone de Valence, avec des incursions vers l'Aragón, Murcie, et, en moindre échelle, la Catalogne. On y trouve main-

Doch abgesehen von diesen Fragen gab es ein Kunsthandwerk für Edelmetalle, von dem Silbergeschirr und allerart von Schmuckstücke aus Gold und Silber, vorhanden sind, die in einem ganz eigenartigen Stil gefertigt sind und dem griechischen Urmodell und teilweise auch dem phönizischen und etruskischen entnommen worden ist. Ausser den erwähnten Dingen, gab es auch noch Bekleidungsschmuck aus Bronze. Dieser letzten Serie könnte man noch die Kunstfertigkeit der Münzen zurechnen, die in Bronze

75. Tres cabezas de barro cocido, de pequeño tamaño, del Santuario de La Serreta de Alcoy. Museo de Alcoy. Ejemplo de arte popular.

75. *Three heads in fired clay, of small size, from the sanctuary of La Serreta de Alcoy. Museum of Alcoy. Example of popular art.*

75

75. Trois têtes de terre cuite, de petit format, du Sanctuaire de la Serreta d'Alcoy. Musée d'Alcoy. Exemple d'art populaire.

75. *Drei Köpfe aus gebranntem Ton, kleines Format, aus dem Heiligtum von La Serreta de Alcoy. Museum von Alcoy. Ein Beispiel der Volkskunst.*

y que la totalidad de las piezas que conocemos se pintaron en los siglos II y I antes de nuestra Era, es decir, cuando los romanos ya dominaban el país, si bien su civilización no había conseguido penetrar todavía y el iberismo indígena se conservaba, en sus grandes líneas, intacto. Aparte del gran interés que los vasos pintados en este estilo presentan como medio de información de la vida de la época—algo así como un noticiario gráfico— y de la pasión que han despertado entre los filólogos que intentan descifrar la lengua ibérica, pues las escenas van con frecuencia acompañadas de inscripciones que deben referirse a las mismas, su posición dentro del conjunto del arte ibérico es de primer plano, y constituye, sin duda, uno de sus elementos más sugestivos. Las series más famosas son las procedentes del poblado situado en el cerro de San Miguel, junto a Liria, en la zona central valenciana, pero otros hallazgos del mismo país valenciano vienen a completar el panorama (La Serreta de Alcoy, Oliva, Benidorm, etcétera) y a mostrarnos que el estilo se difundió por la casi totalidad de la región. Aparte de este centro básico, se implantó también en algunas partes de Aragón, como muestran los descubrimientos de Alloza en el norte de la provincia de Teruel, en el valle medio del Ebro.

formation regarding the life of the period —rather like an illustrated newspaper— and the excitement they have aroused among the philologists who attempt to decipher the Iberian language, for the scenes are frequently accompanied by inscriptions evidently allusive to them, their position within the whole of Iberian art is of the first importance and is, undoubtedly, one of their most thought-provoking elements. The most famous series are those from the settlement situated on the hill of San Miguel near Liria, in the central part of Valencia, but other finds from the same part of Valencia complete the panorama (La Serreta de Alcoy, Oliva, Benidorm, etc.) and show us that the style spread over almost all of this region. Apart from this basic centre, it also took root in some parts of Aragon, as is shown by the discoveries in Alloza, in the north of the province of Teruel and half-way down the valley of the Ebro.

Finally we come to the aspect of metalwork and jewellery, which is both spectacular and abundant, though we cannot include among Iberian production such cases as the treasure-troves of Aliseda (Cáceres) or El Caramboro (Seville), since these belong to the Tartesian world, not the Iberian. In other cases, when it is a question of chronologically more recent pieces, doubts may arise in another quarter : when we have to decide

tenant des frises narratives, avec des représentations de scènes diverses: de chasse, de guerre, de danse, etc. Après maintes discussions, nous pouvons affirmer aujourd'hui qu'il s'agit d'une évolution relativement tardive, et que toutes les pièces que nous connaissons furent peintes aux IIème et Ier siècles avant notre ère, c'est-à-dire quand les Romains, même si leur civilisation n'avait pas encore réussi à s'imposer, dominaient déjà le pays; l'ibérisme se conservait encore intact dans ses grandes lignes. Outre le grand intérêt que les récipients peints dans ce style présentent comme moyen d'information sur la vie de l'époque —en guise de documentaire graphique— et la passion qu'ils ont éveillée chez les philologues qui essaient de déchiffrer la langue ibérique, les scènes étant fréquemment accompagnées d'inscriptions qui doivent s'y référer, leur position dans l'ensemble de l'art ibérique est de premier ordre et constitue sans doute un de ses éléments les plus suggestifs. Les séries les plus célèbres sont celles qui proviennent du village situé sur la colline de Saint-Michel, à côté de Liria, dans la zone centrale valencienne, mais d'autres découvertes dans ce même pays valencien viennent compléter le panorama (La Serreta de Alcoy, Oliva, Benidorm, etc.) et nous prouver que ce style se répandit dans presque toute la

Queda por fin el aspecto de la metalistería y orfebrería, espectacular y abundante, ya que no podemos incluir entre las producciones ibéricas casos como los tesoros de Aliseda (Cáceres) o El Caramboro (Sevilla) por pertenecer al mundo tartésico y no al ibérico. En otros casos, tratándose de objetos cronológicamente más recientes, las dudas pueden surgir en otro sentido: a la hora de decidir si se trata de piezas importadas o fabricadas en el país. Pero dejando aparte estas cuestiones, existe una artesanía en metales nobles de la que tenemos vajillas en plata y joyas diversas, de plata y de oro, de un peculiar estilo derivado de prototipos griegos y quizá en parte fenicios y etruscos, aparte de objetos de indumentaria o adorno, en bronce. A esta serie se podría añadir el aspecto artístico de las monedas, acuñadas en plata y en bronce, imitando primero a las griegas y después a las romanas, pero siempre conservando el estilo indígena peculiar en las representaciones figuradas en sus anversos y reversos.

whether they are imported pieces or manufactured in the country. But leaving aside these questions, there is craftsmanship in precious metals, of which we have table services in silver and various jewels in gold and silver, in a peculiar style deriving from Greek (and perhaps also from Phoenician and Etruscan) prototypes, as well as fibulae and ornaments in bronze. To these we might add the artistic aspect of the coins, minted in silver and bronze, imitating first the Greek coins and then the Roman, but always keeping the peculiar indigenous style in the representations figuring on obverse and reverse.

77

région. Outre ce centre de base, il se retrouve aussi dans quelques régions d'Aragón, comme le prouvent les fouilles d'Alloza, au nord de la province de Teruel, dans la moyenne vallée de l'Ebre.

Reste enfin le travail des métaux et l'orfèvrerie, moins spectaculaires et abondants puisque nous ne pouvons inclure dans les productions ibériques les trésors d'Aliseda (Cáceres) ou El Carambolo (Séville) qui appartiennent au monde tartésien et non pas au monde ibérique. Dans d'autres cas, comme il s'agit d'objets chronologiquement plus récents, des doutes peuvent surgir dans un autre sens, au moment de décider s'il s'agit de pièces importées ou fabriquées dans le pays. Mais à part cela il existe dans le pays un artisanat de métaux nobles dont proviennent des vaisselles d'argent et divers bijoux d'or et d'argent d'un style particulier dérivé de prototypes grecs et peut-être en partie phéniciens et étrusques, outre des objets de parure et d'ornement, en bronze. On pourrait ajouter à cette série l'aspect artistique des monnaies, frappées en argent et en bronze, d'abord à l'imitation des pièces grecques puis romaines, mais conservant toujours le style indigène particulier dans les représentations figurées des deux faces.

und Silber geprägt wurden, erst die griechischen nachahmend und dann die römischen; immer jedoch bewahrte sie einen eigenen, einheimischen Stil in der figürlichen Darstellung der Vorder- und Rückseite.

78

LA CIVILIZACIÓN IBÉRICA

Y ahora hemos de preguntarnos: ¿De dónde nació este arte? ¿Quiénes fueron esos iberos que lo crearon? En suma, ¿qué fue la civilización ibérica?

Primera contestación: hasta hace muy poco tiempo no se ha conseguido tener las primeras ideas claras sobre este fenómeno que representa al aspecto más original y más elevado de todas las civilizaciones indígenas pre-romanas de nuestra Península. Ya hemos visto que al principio de los descubrimientos se le atribuyó filiación micénica, mientras que en las últimas décadas se le llegó a considerar como un apéndice del provincialismo romano: ¡una vacilación de más de mil años en el encaje temporal! Asimismo, durante mucho tiempo, ha sido un tópico el origen africano de los iberos. Y así podríamos ir señalando falsos conceptos y vacíos que han desvirtuado el fenómeno del iberismo. Quedan, es cierto, muchos problemas históricos importantes por resolver, algunos de los cuales nos afectarán muy directamente, ya que van ligados a cuestiones relacionadas con su arte. Pero, sin pecar de excesivo optimismo, es justo decla-

IBERIAN CIVILIZATION

And now we must ask ourselves: Where was this art born? Who were those Iberians who created it? What, in short, was Iberian civilization? First answer: only very recently have the first clear ideas been obtained regarding this phenomenon, which represents the most original and elevated aspect of all the pre-Roman indigenous civilizations to inhabit the peninsula. We have already seen how at first it was considered to have Mycenaean characteristics, while in the last few decades it came to be considered as an appendix of Roman provincialism: a little difference of over a thousand years in the loom of time! For a long time, too, people have spoken of the possible African origin of the Iberians. And so we could go on pointing to false concepts and vacuums which have detracted from the phenomenon of Iberianism. It is true that there remain many important historical problems to be solved, some of which will affect us very directly, since they are bound up with questions relating to their art. Without being excessively optimistic, however, it is fairly safe to say that today we have a general scheme which, in broad outline, seems valid, and which we need not expect to see overthrown by future research,

LA CIVILISATION IBÉRIQUE

Et maintenant, demandons-nous: où naquit cet art? Quels furent ces Ibères qui le créèrent? En somme, que fut la civilisation ibérique? Première constatation: c'est très récemment seulement que l'on a pu avoir les premières idées claires sur ce phénomène qui représente l'aspect le plus original et le plus élevé de toutes les civilisations indigènes pré-romaines de notre Péninsule. Nous avons déjà vu qu'au début des découvertes on lui attribua une origine mycénienne, mais que dans les dernières dizaines d'années on est arrivé à la considérer comme un appendice du provincialisme romain: une erreur de plus de mille ans dans la mise en place! Longtemps aussi l'on a affirmé l'origine africaine des Ibères. Nous pourrions continuer à énumérer des idées fausses et vides qui ont déformé le phénomène de l'ibérisme. Il reste sans doute à résoudre nombre de problèmes historiques importants, dont plusieurs nous intéresseront directement parce qu'ils sont liés à des questions en rapport avec leur art. Sans faire preuve d'un optimisme excessif, il est juste de déclarer que nous disposons aujourd'hui d'un schéma général qui semble valable dans ses

DIE IBERISCHE ZIVILISATION

Jetzt erheben sich die Fragen: wo entstand diese Kunst? Wer waren die Iberer, die sie schufen? Und schliesslich, was war eigentlich die iberische Zivilisation?

Erste Antwort: Bis vor kurzem hatte man noch keine klare Vorstellung über diese Erscheinung, die die ursprünglichste und höchste aller inländischen, vor-römischen Kulturen unserer Halbinsel bildete. Wir haben ja bereits gesehen, dass man ihr zu Anfang der Ausgrabungen einen mykenischen Ursprung zuschrieb, während man sie in den letzten Jahrzehnten mehr als einen Anhang des römischen Provinzialismus betrachtete; es besteht also eine mehr als tausendjährige Unschlüssigkeit in der Anpassung an die Zeit. Lange Zeit hindurch stiess man immer wieder auf die afrikanische Herkunft der Iberer und so könnte man noch und noch falsche Schlüsse und Leerräume verzeichnen, die das Phänomen des Iberismus widerlegen wollen. Freilich sind noch nicht alle historisch-wichtigen Probleme gelöst, von denen einige uns ganz direkt betreffen werden, da sie mit den Fragen der Kunstbegriffe eng verbunden sind. Doch ohne in dieser Hinsicht zu optimistisch sein zu

79. Detalle de una figura de piedra del Cerro de los Santos. Museo Arqueológico Nacional de Madrid.

80. Aspecto general de la misma figura de piedra del Cerro de los Santos. Museo Arqueológico Nacional de Madrid.

79. *Detail of a stone figure from the Cerro de los Santos. National Archaeological Museum, Madrid.*

80. *General view of the same stone figure from the Cerro de los Santos. National Archaeological Museum, Madrid.*

79. Détail d'une figure de pierre du Cerro de los Santos. Musée Archéologique National de Madrid.

80. Aspect général de la même figure de pierre du Cerro de los Santos. Musée Archéologique National de Madrid.

79. *Detail einer Steinfigur aus dem Cerro de los Santos. Museo Arqueológico Nacional. Madrid.*

80. *Ganzansicht der gleichen Figur aus dem Cerro de los Santos. Museo Arqueológico Nacional. Madrid.*

grandes lignes et ne sera pas détruit par de futures recherches dont le rôle sera de combler de considérables et nombreuses lacunes.

Le second point qu'il convient d'éclairer tout de suite est celui de l'idée même de l'ibérisme. Déformés par une vision historique élémentaire selon laquelle les invasions des zones de peuplement apparaissent comme un changement radical des habitants du pays, nous sommes portés à penser plus facilement à des changements de personnes qu'à des changements de civilisation. Ainsi expliquée, l'histoire de notre époque se résumerait dans quelques milliers d'années en une phrase plus ou moins semblable à celle-ci: «Et alors arrivèrent les porteurs de la civilisation industrielle, qui eux-mêmes, un siècle après, furent expulsés et remplacés par les envahisseurs de l'époque cosmo-atomique». En réalité, ce qui compte, aussi bien jadis que maintenant, ce sont les changements par influences de civilisations dûs à l'adoption des nouveautés de toutes sortes que comporte chaque époque, plutôt qu'aux invasions. Ainsi, le fonds ethnique de chaque région géographique ne s'est guère modifié dans sa substance depuis l'époque préhistorique, alors que se sont produites de grandes transformations dans les sociétés respectives.

wollen, kann gesagt werden, dass man heute bereits über ein allgemeines Schema verfügt, welches in grossen Zügen eine Gültigkeit besitzt, die, wie zu erwarten steht, von der künftigen Forschung nicht mehr umgestossen, sondern viele wichtige Lücken ausfüllen wird.

Der zweite Punkt der gleich noch zu klären wäre, ist der des eigentlichen Begriffes des Iberismus. Beeinflusst von der primären Vorstellung der Geschichte, dass die Volksinvasionen eine grundlegende Änderung der Einheimischen eines Landes zur Folge haben, neigt man leicht dazu mehr an eine Änderung der Menschen als der Kulturen oder Zivilisationen zu denken. Von diesem Gesichtspunkt aus betrachtet, könnte man die Geschichte unserer Zeit in einigen Jahrtausenden mehr oder weniger, mit folgendem Satz zusammenfassen: «...Dann kamen die Träger des industriellen Fortschritts, die ihrerseits, ein Jahrhundert später, ebenfalls vertrieben wurden um den Invasoren des kosmisch-atomischen Zeitalters Raum zu lassen». In Wirklichkeit rechnete man aber in früheren Zeiten, ebenso wie heute noch, mit der Wandlung der Völker durch kulturelle Einflüsse, durch die Annahme der Neuerungen aller Art, die jedes Zeitalter mit sich bringt, als mit den durch Invasionen vollzogenen Wandlungen. Infolgedessen hat sich seit der Vorgeschichte, die etnische Grundlage eines je-

rar que hoy se tiene un esquema general que, en sus grandes líneas, parece válido y que no es de esperar sea derrumbado por la investigación futura, que habrá de llenar, eso sí, numerosas y considerables lagunas.

El segundo punto que conviene clarificar en seguida es el del mismo concepto del iberismo. Deformados por una visión histórica primaria, en que las invasiones de pueblos aparecen como un cambio radical de los habitantes del país, tendemos a pensar más en cambios de gentes que en cambios de civilización. Explicada así la historia de nuestra época, se resumiría, dentro de unos miles de años, en una frase más o menos así: «Y entonces llegaron los portadores de la civilización industrial, que a su vez un siglo después fueron expulsados y sustituidos por los invasores de la época cósmico-atómica». La realidad es que en los tiempos antiguos, como ahora, cuentan más los cambios por influencias de civilizaciones, por la adopción de las novedades de todo tipo que cada época comporta, que no por invasiones. En consecuencia, el fondo étnico de cada zona geográfica apenas se ha modificado sustancialmente desde la época prehistórica, en tanto que se han producido grandes procesos transformadores de las respectivas sociedades.

though this latter, certainly, will have to fill many considerable lacunae.

The second point which should be cleared up at once is that of the very concept of Iberianism. Misled by a primary vision of history, in which the invasions of peoples seem to mean a radical change in the inhabitants of the country, we tend to think more of changes in peoples than of changes in civilization. If the history of our own period were to be explained like that, within some thousands of years it might be summed up more or less thus: «And then came the bearers of industrial civilization, who in turn, a century later, were expelled and replaced by the invaders of the cosmic-atomic period». The truth is that in ancient times, as in our own, the changes caused by the influences of civilizations, by the adoption of the novelties of all kinds that each period brings with it, are more important than the changes wrought by invasions. Consequently, the ethnic basis of each geographical zone has scarcely been substantially modified since prehistoric times, whereas great processes of transformation have taken place in the respective societies.

From one of these phenomena came the Iberian civilization. Not because new peoples arrived —from Africa, as was said, or from anywhere

82, 83. Dos vasos «kalathos» o «sombreros de copa», pintados, de San Miguel de Liria. Museo de Prehistoria de Valencia.

82, 83. Two painted kalathos or «top hat» vases, from San Miguel de Liria. Prehistory Museum of Valencia.

82, 83. Deux vases «kalathos» ou «chapeau haut de forme», peints, de San Miguel de Liria. Musée de Préhistoire de Valencia.

82, 83. *Zwei Vasen («Kalathos» oder «Zylinderhut») bemalt, aus San Miguel de Liria. Museo de Prehistoria. Valencia.*

130

84, 85. Conjunto y detalle del vaso «de las cabras», procedente de la necrópolis del Cabecico del Tesoro de Murcia. Museo Arqueológico de
Murcia.

84, 85. *Whole view and detail of the vase «of the goats», from the necropolis of
El Cabecico del Tesoro, Murcia. Archaeological Museum of Murcia.*

84

85

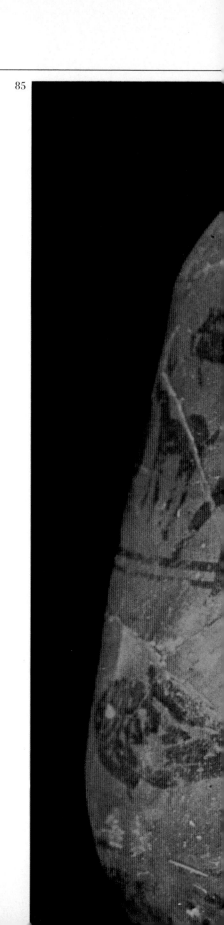

84, 85. Ensemble et détail du vase «des chèvres», provenant de la nécropole du Cabecico del Tesoro de Murcie. Musée Archéologique de Murcie.

84, 85. Gesamtansicht und Detail der Vase «der Ziegen», aus der Nekropole von Cabecico del Tesoro (Murcia). Museo Arqueológico. Murcia.

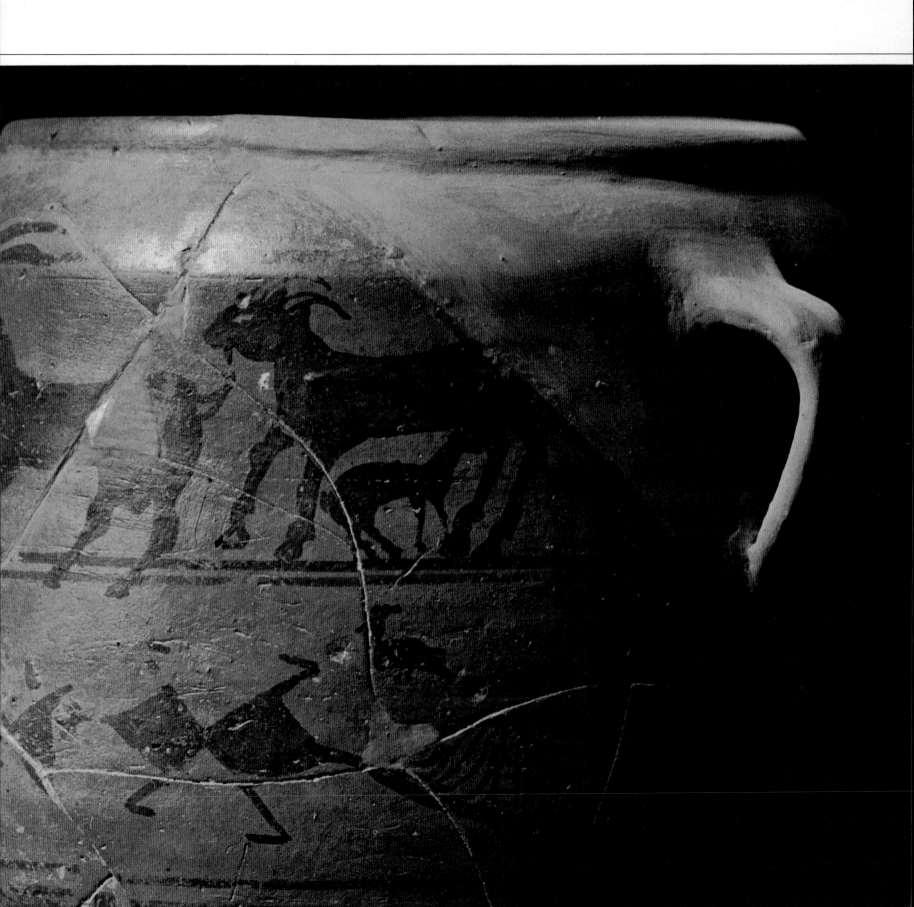

86. Kalathos o sombrero de copa, pintado, de la necrópolis de la Albufereta de Alicante. Museo Arqueológico de Alicante.

86. *Painted* kalathos *or «top hat», from the necropolis of La Albufereta, Alicante. Archaeological Museum of Alicante.*

De uno de estos fenómenos nació la civilización ibérica. No porque llegaran nuevas gentes —ni de África, como se decía, ni de parte alguna— sino porque durante el período medio del primer milenio antes de Jesucristo los fenicios y los griegos establecieron un puente entre los países adelantados del Mediterráneo oriental y los entonces «subdesarrollados» de la parte occidental con sus correrías marítimas, comerciales y con sus colonizaciones. Como consecuencia y después de un tiempo de contactos, los indígenas de la zona afectada por las influencias transformaron su vida y su sociedad de acuerdo con los estímulos externos, con las novedades que habían aprendido y asimilado a su modo. El proceso de asimilación, hoy por hoy, no lo conocemos apenas: conocemos sobre todo sus resultados, que es lo que denominamos civilización ibérica. Se extendió, claro está, precisamente por la zona en que se habían producido los contactos con los fenicio-púnicos y sobre todo con los griegos: el litoral mediterráneo desde Andalucía hasta el Languedoc, con algunas intrusiones hacia el interior, tanto en el extremo sudeste de la Meseta (Albacete) como en el valle del Ebro, donde como consecuencia de las facilidades de la geografía, penetró más, llegando hasta Navarra.

else— but because, during the middle period of the first millennium before Christ, the Phoenicians and the Greeks, with their commercial voyages and their colonies, established a bridge between the more advanced countries of the eastern Mediterranean and the then «underdeveloped» countries of the western part. Consequently, after continued contacts, the natives of the regions affected by these influences transformed their way of living and their society in accordance with these external stimuli, with the new ideas they had learned and assimilated after their own fashion. As yet we hardly know anything about this process of assimilation: what we do know, above all, is its result, which is what we call Iberian civilization. This spread, naturally, throughout the zone in which contact had occurred with the Phoenicians and, above all, with the Greeks: the Mediterranean littoral from Andalusia to the Languedoc, with occasional inroads to the hinterland, both in the extreme southeast of the Meseta of Castile (Albacete) and in the valley of the Ebro, where the easier terrain permitted greater penetration, even reaching Navarre.

Thus we have a civilization which, unlike previous ones which had existed in the same territory, had greater social complexity: the population centres were larger and some already

86. Kalathos ou chapeau haut de forme, peint, de la nécropole de la Albufereta d'Alicante. Musée Archéologique d'Alicante.

86. Bemalter Kalathos oder Zylinderhut, aus der Nekropole v
Alicante. Museo Arqueológico. Alicante.

Así nos encontramos con una civilización que, a diferencia de las anteriores que habían existido sobre los mismos territorios, tenía una mayor complejidad social: los centros de poblamiento eran mayores y algunos podrían merecer ya el nombre de ciudades, utilizaba un sistema de escritura propio —el llamado alfabeto ibérico—, entraba lentamente en la economía monetaria, usaba el hierro de modo normal como metal corriente, y otros adelantos técnicos, como el torno rápido de alfarero, etc. Dentro de esta misma corriente de novedades está el arte ibérico.

No se trata, en ningún caso, de simples copias: de ahí la personalidad de la civilización ibérica. Podemos considerarla una civilización satélite, pero no una provincia cultural del mundo fenicio-cartaginés ni tan sólo del griego.

Si esta perennalidad diferenciada es clara y cierta, también lo son sus matices geográficos. Los iberos no formaron nunca una unidad política; todo lo contrario. Su centro social fue la ciudad, entendiendo por ciudad agrupaciones generalmente pequeñas, que en nuestra nomenclatura actual jamás se les podría aplicar tal nombre. Pero así era también la ciudad de los primeros siglos griegos

deserved to be known as cities; they had their own system of writing —the Iberian alphabet as it is called—, they were slowly adopting a monetary economy, they used iron normally as a common metal, as well as other technical advances, such as the fast potter's wheel, etc. Within this selfsame current of new ideas we find Iberian art.

We are by no means dealing with mere copies: this is what gives Iberian art its personality. We may consider it a satellite civilization, but not just a cultural province of the Phoenician-Carthaginian world, nor even of that of the Greeks.

If this different perenniality is clear and sure, no less so are its geographical shades. The Iberians never formed a political unit; quite the contrary. Their social centre was the town, town being taken to mean a generally rather small group of houses, to which we would hardly apply the same name now. But just so, too, was the town of the first centuries of Greece and that of the other Mediterranean countries until well into the classical period. Groups of towns —or, if you like, of villages— formed tribes or peoples, differing widely in their geographical extension. Those of the southern part of the Iberian zone had larger territories: the

De l'un de ces phénomènes est née la civilisation ibérique. Non pas parce qu'arrivèrent de nouvelles gens —ni d'Afrique, comme on le prétendait, ni d'ailleurs— mais parce que vers la moitié du premier millénaire avant Jésus Christ les Phéniciens et les Grecs établirent un pont entre les pays avancés de la Méditerranée orientale et ceux, alors «sous-développés», de la zone occidentale, au moyen de leurs expéditions maritimes commerciales et de leurs colonisations. En conséquence, et après une certaine période de contacts, les indigènes de la zone affectée par les influences transformèrent leur vie et leur société conformément aux stimulants extérieurs, y incorporant les nouveautés qu'ils avaient apprises et assimilées à leur manière. Pour le moment, nous connaissons à peine le processus d'assimilation: nous en connaissons surtout les résultats, ce que nous appelons la civilisation ibérique.

Elle s'étendit, naturellement, à travers la zone où s'étaient produits les contacts avec les Phéniciens, les Carthaginois, et surtout les Grecs, c'est-à-dire le littoral méditerranéen depuis l'Andalousie jusqu'au Languedoc, avec quelques incursions vers l'intérieur, tant au sud-est de la Meseta (Albacete) que dans la vallée de l'Ebre où

den geographischen Gebietes kaum wesentlich verändert, während doch die jeweilige Gesellschaft grosse Umwandlungsprozesse durchmachte.

Aus einem dieser Umgestaltungsprozessen entspross die iberische Kultur. Nicht weil andere Menschen —weder aus Afrika noch sonstwoher, wie gesagt wurde— hinzugekommen waren, sondern lediglich weil in dem mittleren Zeitraum des ersten Jahrtausends vor Christi, die Phönizier und die Griechen zwischen zwei fortschrittlichen Ländern des östlichen Mittelmeeres und den damaligen «unterentwickelten» Ländern des Westens, mit ihren Seefahrten, ihrem Handel und ihren Kolonisierungen eine Brücke schlugen.

Als Folge davon und nach einiger Zeit der Kontakte und Beziehungen untereinander, wandelten die Einheimischen der betroffenen Gebiete ihre Lebensweise und ihre Gesellschaftsformen unter dem fremden Einfluss und den Anregungen, die sie durch die Neuheiten erhielten, die sie kennenlernten und auf ihre Weise anglichen. Dieser Angleichungsprozess ist bis heute noch nicht bekannt geworden; aber man kennt das Ergebnis und dieses ist das, was wir mit iberischer Kultur bezeichnen. Selbstverständlich hat sich diese besonders in den Gebieten verbreitet, wo die ersten Kontakte mit den Phöniziern, Puniern und vor allem mit den

y la de los restantes países mediterráneos hasta muy entrada la época clásica. Agrupaciones de ciudades —o si se quiere, de poblados— formaban tribus o pueblos, de muy diversa extensión geográfica. Los de la parte meridional de la zona ibérica tenían territorios mayores: los *turdetanos* y *bastetanos* ocupaban Andalucía occidental, los *mastienos* la zona de Murcia, los *contestanos* la parte meridional del País Valenciano, que tenía en su centro a los *edetanos* y al norte, comprendiendo la desembocadura del Ebro, a los *ilercavones*. Más al septentrión, sólo los *ilergetas* de las llanuras de Lérida y de parte de la actual provincia de Huesca y los *indigetas* del Ampurdán formaban núcleos relativamente extensos. La mayor parte de los pueblos restantes eran menores: *cosetanos* en el Campo de Tarragona, *laietanos* en el Llano de Barcelona —Vallés— Maresme, *lacetanos* algo más al interior, *bergistanos* en el Berguedán, etc. Los límites de estos pueblos no siempre se conocen con precisión, ni siempre fueron estables. Pero en líneas generales vienen a coincidir, como es lógico, con fronteras naturales y pueden suponerse *grosso modo* a las actuales comarcas histórico-naturales.

Saber qué representaban exactamente estos distintos grupos, es decir, si se trata de dife-

turdetanos *and* bastetanos *occupied western Andalusia, the* mastienos *held the region of Murcia and the* contestanos *the southern part of the region of Valencia, in the centre of which were the* edetanos, *while its northern part, including the delta of the Ebro, was occupied by the* ilercavones. *Further north, only the* ilergetas *of the plains of Lérida and of part of the province of Huesca and the* indigetas *of the Ampurdán district formed relatively extensive nuclei. Most of the remaining tribes were smaller:* cosetanos, *in the Campo de Tarragona,* laietanos *in the Llano de Barcelona, the Vallés and the Maresme,* lacetanos *a little further inland,* bergistanos *in the Berguedán district, etc. The limits of these tribes are not always known with any great certainty, nor were they always stable. But in a general way they coincide, as is only logical, with natural frontiers, and may be loosely considered as corresponding to the modern historico-natural districts.*

It is not easy to know exactly what these different groups represented, i.e., whether it was a question of purely political differences or whether there was a deeper basis to this differentiation. In any case, we must remember to make our divisions fairly ample, though the separation between different social groups should be quite clear.

elle pénétra davantage, arrivant jusqu'en Navarre, profitant des facilités qu'offrait le relief.

Nous nous trouvons ainsi devant une civilisation qui, à la différence de celles qui l'avaient précédée sur les mêmes territoires, présente une plus grande complexité sociale: les centres de peuplement étaient plus grands et certains pouvaient déjà mériter le nom de cités; elle employait son propre système d'écriture —connu sous le nom d'alphabet ibérique— et admettait peu à peu l'économie monétaire, employait le fer comme métal commun ainsi que d'autres perfectionnements techniques tels que le tour rapide des potiers, etc. L'art ibérique s'inscrit dans ce même courant de nouveautés.

Il ne s'agit en aucun cas de simples copies: c'est ce qui fait la personnalité de la civilisation ibérique. Nous pouvons la considérer comme une civilisation satellite mais non comme une province culturelle du monde carthago-phénicien ni même grec.

Cette personnalité différenciée est nette et certaine; ses nuances géographiques le sont aussi. Les Ibères ne formèrent jamais une unité politique, bien au contraire. Leur centre

Griechen stattfanden, d. h. also an der Mittelmeerküste entlang von Andalusien bis Languedoc mit einigen Einfällen ins Innere des Landes, sowohl im südöstlichen Teil des Hochplateaus (Albacete) als auch ins Ebro-Tal, wo sie infolge der geographischen Gängigkeit des Geländes bis nach Navarra vorstiessen.

So fand man eine Kultur, die zum Unterschied von der vorherigen, die es auf den gleichen Gebieten gegeben hat, eine grössere soziale Zusammensetzung hatte: die Wohnzentren waren schon viel grösser und einige davon könnten schon als Städte bezeichnet werden. Sie besassen ein eigenes Schreibsystem —das sogenannte iberische Alphabet—, sie übernahmen langsam die Geldwirtschaft, sie verwendeten das Eisen wie normales Metall und besassen noch weitere technische Fortschritte, wie zum Beispiel die Schnelldrehscheibe der Töpfer und anderes mehr. Innerhalb dieser Neuheitenströmung befindet sich auch die iberische Kunst.

Auf keinen Fall jedoch handelt es sich hier um Nachahmungen; daher auch die Persönlichkeit, die der iberischen Kultur innewohnt. Man kann sie vielleicht als sogenannte Nebenzivilisation ansehen, niemals aber als eine kulturelle Provinz der karthagophönizischen, und noch weniger der griechischen Welt.

rencias puramente políticas o tenían un fondo de diferenciación más profundo, no es fácil. Cabe trazar en todo caso unas divisiones amplias, pero que separan con bastante claridad grupos sociales distintos. Por una parte hubo un mundo ibérico meridional, más rico y complejo—que se nos manifiesta en el arte sobre todo por su escultura— y otro septentrional, menos evolucionado, cuya línea divisoria podríamos colocar en torno al curso del río Júcar. Por otra parte existió siempre una marcada diferencia entre los pueblos de mar, más abiertos a las corrientes forasteras y por tanto más desarrollados, y los del interior, de la montaña, mucho más cerrados a lo externo y viviendo sobre territorios más pobres, lo que hubo de reflejarse en sus respectivas sociedades.

Las diferencias debían proceder también en gran parte de los distintos fondos étnicos sobre los que se apoyaba la nueva civilización: por ejemplo, en Cataluña y Aragón el peso de las infiltraciones de los indoeuropeos a través de los pasos del Pirineo habían sido, en los siglos inmediatamente anteriores, muy fuertes, dejando un sedimento considerable en el poblamiento, mientras que el fenómeno es apenas perceptible en tierras valencianas. Esta mezcla de diferencias regionales y comarca-

On the one hand there was a southern Iberian world, richer and more complex —as we can see in its art, above all its sculpture— and another in the north, less fully developed, the divisory line between the two running more or less along the course of the river Júcar. Apart from this, there was always a notable difference between the peoples of the coast, more open to foreign influence and therefore more highly developed, and those of the interior, of the mountains, much less receptive of outside influences and living on poorer land, and all this was necessarily reflected in their respective societies.

The differences must also have been largely due to the different ethnic strains of which the new civilization was formed; in Catalonia and Aragon, for instance, the infiltrations of Indo-Europeans over the passes of the Pyrenees had been numerous and continuous in the immediately previous centuries, leaving a considerable sediment in the population, while this phenomenon is barely noticeable in the region of Valencia. This blend of regional and provincial differences, together with ordinary phenomena, is what gives Iberian civilization its complexity. A thorough explanation of this would require much more space than is now at our disposal, besides which many important problems have still to be solved or are in an uncertain position.

social fut la cité, si l'on entend par cité les groupements généralement réduits qui, dans notre nomenclature actuelle, ne pourraient jamais revendiquer ce nom. Mais la cité des premiers siècles grecs et celle des autres pays méditerranéens était du même type jusque très avant dans l'époque classique. Les groupements de cités —ou, si l'on veut, de villages— formaient des tribus ou des peuples de très variable extension géographique. Ceux de la partie méridionale de la zone ibérique couvraient des territoires plus vastes: les *turdetans* et les *bastetans* occupaient l'Andalousie occidentale, les *mastiens* la zone de Murcie, les *contestans* la partie méridionale du Pays valencien, peuplé au centre par les *edetans* et au nord, y compris l'embouchure de l'Ebre, les *ilercavons*. Plus au sud, les *ilergetes* des plaines de Lérida et d'une partie de l'actuelle province de Huesca, et les *indigetes* de l'Ampurdán formaient des noyaux relativement étendus. La plupart des autres peuples étaient moins importants: *cosetans* dans la plaine de Tarragone, *laietans* dans la plaine de Barcelona-Vallés-Maresma, *lacetans* un peu plus vers l'intérieur, *bergistans* dans le Berguedán, etc. Les limites de ces peuples ne sont pas toujours connues avec précision, et ne furent pas non plus toujours stables. Dans leurs lignes générales, elles

Wenn diese unterschiedliche Persönlichkeit der Iberer klar und eindeutig ist, so sind es auch die geographischen Schattierungen. Die Iberer bildeten niemals eine politische Einheit, ganz im Gegenteil. Das soziale Zentrum war die Stadt und man verstand unter dieser Bezeichnung teilweise sehr kleine Siedlungsgruppen, die nach unseren heutigen Namensbegriffen niemals die Bezeichnung «Stadt» erhalten würden. Doch so war auch die Stadt der ersten griechischen Jahrhunderte und die der anderen übrigen Mittelmeerländer bis weit in das klassische Zeitalter hinein. Städte —oder wenn man so will— Siedlungsgruppen, wurden von Volksstämmen oder Wandervölkern von verschieden geographischer Ausdehnung gegründet. Die Völker des südlichen Teiles der iberischen Halbinsel besassen das grösste Gebiet: die «Turdetaner» und die «Bastetaner» beherrschten das westliche Andalusien; die «Mastiener» besiedelten das Gebiet von Murcia; die «Contestaner» waren in den südlichen Teil des valencianischen Landes gezogen, in dessen mittlerem Teil sich die «Edetaner» niederliessen, während sich im Norden, an der Ebromündung, die «Ilercavonier» ansiedelten.

Weiter im Norden besiedelten nur die «Ilergeten» die Ebenen von Lérida und einen Teil der heutigen Provinz Huesca und im Ampurdán bildeten die «Indigeter» ziemlich ausgedehnte

les, al lado de los fenómenos comunes, es lo que confiere su complejidad a la civilización ibérica. Para explicarla a fondo sería preciso un espacio mucho mayor del que ahora podemos disponer y por otra parte quedan por resolver, o en situación incierta, problemas numerosos e importantes.

Uno de estos elementos más típicamente generales, y más enigmáticos del mundo ibérico es el que se refiera a su lengua, cuya interpretación va ligada en buena parte al problema de la escritura. El sistema ibérico, propio, consistió en una mezcla de signos alfabéticos y silábicos. Mientras para las vocales, como para algunas consonantes como la *M*, la *n*, la *r*, la *s*, existían signos equivalentes a una letra, como en cualquier sistema alfabético, otros signos representaban sílabas: los grupos *ba, be, bi, bo, bu* (o *pa, pe, pi, po, pu*), *da, de, di, do, du* (o *ta, te, ti, to, tu*) y *ga, gue, gui, go, gu* (o *ca, ke, ki, co, cu*). Esta singular mezcla, formada por un elemento arcaizante, el silabismo, y otro progresivo, el alfabético, fue lo que produjo las grandes dificultades de su desciframiento. Pero cuando hacia 1920 éstas fueron vencidas, nos hemos encontrado con que podemos leer el ibérico, puesto que conocemos su sistema de escritura, pero que no podemos traducirlo, ya que se

One of these most typically general elements, and one of the most enigmatic of the Iberian world, is the problem of its language, the interpretation of which is largely linked to the problem of writing. The Iberian system, peculiar to them, consisted of a mixture of alphabetic and syllabic signs. Whereas for the vowels, as also for some consonants, such as M, n, r *and* s, *there existed signs equivalent to letters, as in any other alphabetic system, other signs represented syllables: the groups* ba, be, bi, bo, bu (*or* pa, pe, pi, po, pu), da, de, di, do, du (*or* ta, te, ti, to tu) *and* ga, gue, gui, go, gu (or, ca, ke, ki, co, cu). *This singular mixture, formed from one archaizing element, the syllabic, and another progressive one, the alphabetic, was what gave rise to such great difficulties in deciphering it. But when these were overcome, about 1920, we found that we could read Iberian, since we now knew its system of writing, but that we could not translate it, since we know nothing of the value of each word, i.e., the tongue itself. Only one thing remains absolutely clear: that it sounds to us a very remote, far-off language, very strange for those of us who communicate in languages of the Indo-European group.*

It is curious that even before this reading, on the basis of place names, of names culled from

coïncident logiquement avec des frontières naturelles, et il est possible de les superposer grosso modo aux actuelles provinces historico-naturelles.

Il n'est pas facile du tout de savoir ce que représentaient exactement ces divers groupes, c'est-à-dire s'il s'agissait de différences purement politiques ou si elles avaient une base de différenciation plus profonde. Il convient, en tout état de cause, de tracer d'amples divisions séparant avec suffisamment de clarté les différents groupes sociaux. Il y eût, d'une part, un monde ibérique méridional, plus riche et complexe —dont les manifestations artistiques nous sont surtout révélées par les sculptures— et, d'autre part, un monde septentrional, moins évolué, dont la ligne de séparation pourrait se situer aux environs du cours du fleuve Júcar. En outre, il y eût toujours une nette différence entre les peuples maritimes, plus ouverts aux courants étrangers et par conséquent plus évolués, et ceux de l'intérieur, de la montagne, beaucoup plus fermés sur l'extérieur et vivant sur des territoires plus pauvres, circonstance qui se refléta dans leurs sociétés respectives.

Les différences étaient dues aussi aux divers fonds ethniques sur lesquels s'appuyait la

Siedlungen. Andere iberische Völker waren nicht so zahlreich und so siedelten sich die «Cosetaner» im Gebiet von Tarragona an, die «Laeetaner» (auch «Laietaner») besiedelten die Ebenen um Barcelona —den Vallés, den Maresme (den Küstenstrich)— während die «Lacetaner» weiter ins Innere drangen; die «Bergestaner» zogen in den Bergadán *usw. Die Grenzen dieser Gebiete waren nie genau bekannt, noch waren sie beständig; trotzdem stimmen sie, im grossen und ganzen, etwa mit den heutigen natürlichen Provinzgrenzen überein, sodass angenommen werden kann, dass sie den heutigen naturgeschichtlichen Gegenden entsprechen.*

Genau festzustellen, was diese verschiedenen Volksgruppen eigentlich vorstellten, ist nicht leicht, das heisst, ob die Unterschiede rein politisch bedingt waren oder ob sie einen tieferen Differenzierungsgrund hatten. Auf jeden Fall muss man weitgehende Trennungen vornehmen, um die verschiedenartigen sozialen Gruppen mit ziemlicher Klarheit unterscheiden zu können. Auf der einen Seite gab es eine südliche, sehr reiche und vielseitig bedingte iberische Welt —die sich uns in der Kunst, vor allem in der Bildhauerei enthüllt— und eine nördliche, weniger entwickelte, deren Trennungslinie am Laufe des Júcar-Flusses situiert werden könnte. Andrerseits, bestand schon immer ein markanter

ignora el valor de cada palabra, es decir, su lengua. Sólo queda absolutamente clara una cosa: que nos suena como una lengua muy remota, muy extraña a todos los que manejamos idiomas del grupo indoeuropeo.

Es curioso que ya antes de la lectura, a base de topónimos, de los nombres recogidos en las fuentes clásicas, y de lo que se creía leer en las mismas inscripciones originales, se formuló la teoría que el ibérico era en el fondo la misma lengua que el vasco. Aunque la hipótesis, después de unos años de éxito, ha decaído bastante, por más que sigue teniendo partidarios entusiastas, lo cierto es que se producen entre ambos idiomas ciertos paralelismos y ciertas similitudes que no permiten que se arrincone del todo la teoría vasco-iberista.

El problema se simplificaría, quizá, si conociéramos mejor los orígenes ibéricos. Existe acuerdo unánime en considerar, como se ha indicado, que se trata de una civilización hija del impacto de los pueblos coloniales sobre las costas peninsulares. No cabe duda. Pero tal afirmación, con ser mucho respecto a las vaguedades que se barajaron en momentos en que la investigación estaba menos madura, no es suficiente. ¿Cómo funcionó el meca-

the classical sources and of what some thought they could read in the original inscriptions, a theory was formulated which held that Iberian was really the same language as Basque. Though this hypothesis, after enjoying some years of success, has considerably lost favour, despite the zeal of its partisans, it must be admitted that there are between the two languages certain parallelisms and certain similarities which forbid us to discard completely the Basque-Iberian theory.

The problem might perhaps be simplified if we knew a little more about Iberian origins. Scholars are unanimous in considering, as has been said, that here we have a civilization born of the impact of the colonial peoples on the peninsular coasts, which seems quite true. But such an assertion, though important in comparison with the vague theories advanced at a time when research was rather less scientific, is still not enough. How, exactly, did the influences work? There are two possible hypotheses. The first consists in supposing that this civilization was born, in more or less parallel fashion, throughout the area affected, that which received the direct contacts of Greeks and Phoenicians and which we later see as the fertile soil for the flowering of Iberian art. To accept this we should have to believe that all the pre-Iberian

nouvelle civilisation: par exemple, en Catalogne et en Aragón les infiltrations indoeuropéennes à travers les cols des Pyrénées avaient été très fortes au cours des siècles immédiatement antérieurs, laissant un considérable sédiment dans la population, tandis que le phénomène est à peine perceptible dans les terres valenciennes. Ce mélange de différences régionales et locales, s'ajoutant aux phénomènes communs, confère sa complexité à la civilisation ibérique. Il nous faudrait, pour l'expliquer totalement, plus d'espace dont nous n'en disposons maintenant; d'autre part, nombre d'importants problèmes sont encore à résoudre ou ne l'ont été qu'incomplètement.

Un de ces typiques éléments généraux, et des plus énigmatiques du monde ibérique, est celui qui concerne la langue, dont l'interprétation est liée en grande partie au problème de l'écriture. Le système ibérique proprement dit consistait en un mélange de signes alphabétiques et syllabiques. Il y avait pour les voyelles, ainsi que pour quelques consonnes comme le *m*, le *n*, le *r*, le *s*, des signes équivalents à une lettre, comme dans n'importe quel système alphabétique; d'autres signes représentaient des syllabes: les groupes *ba*, *be*, *bi*, *bo*, *bu* (ou *pa*, *pe*, *pi*, *po*, *pu*), *da*, *de*, *di*, *do*, *du* (ou *ta*, *te*, *ti*, *to*, *tu*) et *ga*, *gue*, *gui*, *go*, *gu*

Unterschied zwischen den Seevölkern, die den fremden Strömungen gegenüber offener und daher auch bedeutend entwickelter waren, und der Land- und Bergbevölkerung, die gegen das Fremde das von aussen kommt, verschlossener ist und in ärmeren Gebieten wohnt, was sich natürlich auch in den entsprechenden Gesellschaften niederschlug.

Die Unterschiede dürften aber auch auf die verschiedenen etnische Ursprünge zurückzuführen sein, auf die sich die neue Zivilisation stützte; zum Beispiel war in Katalonien und in Aragonien der Einfluss der über die Pyrenäenpässe eindringenden Indoeuropäer, in den Jahrhunderten vor den Iberern, stark zu spüren, die in der Bevölkerung einen bedeutenden Niederschlag hinterliessen, während man diese Erscheinung im valencianischen Gebiet kaum verspürt. Diese Mischung regionaler und landschaftlicher Unterschiede, neben den anderen üblichen Erscheinungen, gibt der iberischen Zivilisation gerade ihre Verschiedenartigkeit. Um sie gründlich erleuchten und erklären zu können, benötigt man mehr Raum als uns hier zur Verfügung steht und andrerseits harren noch viele wichtige und bedeutende Fragen der Lösung.

Eine der typischsten dieser ungelösten Fragen, die auch gleichzeitig die rätselhafteste der iberischen

87 a 90. Cuatro figuras de terracota del Santuario de La Serreta de Alcoy.   87 to 90.   Four figures in terracotta, from the sanctuary of La Serreta de Alcoy.
Museo de Alcoy.   Museum of Alcoy.

87 à 90. Quatre figures de terre cuite du Sanctuaire de La Serreta d'Alcoy. Musée d'Alcoy.

87 bis 90. Vier Terrakotta-Figuren aus dem Heiligtum von La Serreta de Alcoy. Museum von Alcoy.

(ou *ca, ke, ki, co, cu*). Ce singulier mélange, formé par un élément archaïque, le syllabisme, et un autre plus progressif, l'alphabet, causa de grandes difficultés lorsqu'il s'agit de le déchiffrer. Quand ces difficultés furent vaincues, vers 1920, nous fûmes capables de lire l'ibérique puisque nous connaissions son système d'écriture, mais nous ne pouvions le traduire, dans notre ignorance de la valeur de chaque mot, c'est-à-dire de la langue. Une seule chose est absolument claire: ce langage sonne très ancien, très étrange, à tous ceux qui sont habitués aux langues du groupe indo-européen.

Il est curieux qu'avant la lecture à l'aide de toponymes des mots tirés des sources classiques et de ce que l'on croyait lire sur les propres inscriptions originales, on ait formulé la théorie selon laquelle l'ibérique était au fond la même langue que le basque. Cette hypothèse, après quelques années de succès, a dégénéré malgré ses partisans enthousiastes; il est cependant certain qu'il y a entre les deux langues des parallélismes et similitudes qui n'autorisent pas à abandonner entièrement la théorie du basco-ibérique.

Le problème serait peut-être plus simple si l'on connaissait mieux les origines ibériques.

Welt ist, ist die nach ihrer Sprache, deren Auslegung zum grossen Teil mit der Problematik der Schrift zusammenhängt. Das eigentliche iberische System bestand in einer Mischung von alphabetischen Zeichen und Silbenbildungen. Während es für die Vokale sowie für einige Konsonanten wie M, n, r *und* s *entsprechende Buschstabenzeichen, wie bei irgendeinem Alphabet gab, wurden andere Zeichen von Silben gebildet, wie die Gruppen* ba, be, bi, bo, bu *(oder* pa, pe, pi, po, pu*)*; da, de, di, do, du *(oder* ta, te, ti, to, tu*) und* ga, gue, gui, go, gu *(oder* ca, ke, ki, co, cu*). Diese eigenartige Mischung, die mit einem altertümlichen Element, dem Syllabismus, und einem fortschrittlichen, dem Alphabetischen, gebildet wird, bereitete der Entzifferung sehr grosse Schwierigkeiten. Als diese Schwierigkeiten um das Jahr 1920 herum behoben waren, konnte man zwar das Iberische lesen, da das Schriftsystem jetzt bekannt war, aber man konnte es nicht übersetzen, weil man den Wert jedes einzelnen Wortes, also der Sprache, nicht kannte. Nur eins ist absolut klar geworden, sie klingt wie eine ganz weit entfernte Sprache, die für alle, die wir mit den Sprachen der indoeuropäischen Gruppen zu tun haben, völlig fremd ist.*

Merkwürdig ist, dass, bevor man auf Grund von Toponymen, die aus den klassischen Quellen

Tout le monde est d'accord pour considérer, comme nous l'avons déjà indiqué, qu'il s'agit d'une civilisation résultant de l'influence des peuples colonialistes sur les côtes péninsulaires. Il n'existe aucun doute à ce sujet. Une telle affirmation, quoique importante par rapport aux vagues opinions émises lorsque l'investigation manquait de maturité, est cependant insuffisante. Comment fonctionna le mécanisme des influences? Deux hypothèses sont possibles. La première reviendrait à supposer que la naissance se produisit plus ou moins parallèlement sur toute l'aire affectée, celle qui reçut les contacts directs des Grecs et des Phéniciens et que nous considérons avoir été par la suite la zone d'épanouissement de l'ibérisme. Il faudrait croire pour cela qu'il existait un certain fonds commun entre tous les peuples pré-ibériques qui occupaient le littoral lorsque se produisirent les colonisations. Ceci ne peut se démontrer. Nous supposons plutôt le contraire, étant donné qu'une partie de ce territoire s'était profondément indo-européisée au cours des premiers siècles du premier millénaire —surtout la Catalogne et l'Aragón— tandis que le secteur méridional semble avoir conservé davantage la tradition ethnique et culturelle de l'Age du bronze. La deuxième théorie consiste à imaginer un foyer initial de l'ibérisme, une

stammenden Namen lesen konnte und aus den Originalbeschriftungen zu lesen vermeinte, schon die Theorie aufgestellt wurde, dass das Iberische im Grunde die gleiche Sprache wie das Baskische schien. Obwohl nach einigen Jahren des Erfolges, diese Hypothese ziemlich fallen gelassen wurde, hat sie doch einige sehr begeisterte Verfechter gefunden und man konnte in der Tat, zwischen den beiden Sprachen bestimmte Parallellismen und Ähnlichkeiten finden, denen zufolge man die baskisch-iberische Theorie nicht ganz von der Hand weisen kann.

Wahrscheinlich würde sich dieses Problem vereinfachen lassen, wenn man den iberischen Ursprung besser kennen würde. Man stimmt zwar voll und ganz in der Betrachtung überein, dass es sich, wie bereits betont, um eine Zivilisation handelt, die aus dem Einfluss entstanden ist, den die Kolonialvölker auf die Küstenbewohner ausgeübt haben. Daran ist nicht zu zweifeln.

Aber diese Behauptung, obwohl sie schon, gegenüber der in der ersten Zeit der Erforschung entstandenen Unklarheiten, viel bedeutet, genügt noch nicht. Wie ging eigentlich der Mechanismus der Einflüsse vor sich? Hierzu können zwei Hypothesen aufgestellt werden. Nach der ersten, könnte man annehmen, dass der Ursprung mehr oder weniger parallel auf dem ganzen

nismo de las influencias? Caben dos hipótesis. La primera consistiría en suponer que el nacimiento se produjo, de forma más o menos paralela, en todo el área afectada, la que recibió los contactos directos de griegos y fenicio-púnicos y la que después vemos como campo de florecimiento del iberismo. Para ello sería preciso creer que existía un cierto fondo común entre todos los pueblos pre-ibéricos que ocupaban el litoral en el momento de producirse las colonizaciones. Ello no puede demostrarse. Más bien nos inclinamos a suponer lo contrario, dado que una parte de este territorio se había indoeuropeizado profundamente en los primeros siglos del primer milenio —Cataluña y Aragón sobre todo—mientras que el sector meridional parece que conservó más la tradición étnica y cultural de la edad del bronce. La segunda teoría consiste en imaginar un foco primario del iberismo, una zona que podemos considerar como la cuna de esta civilización, y ver, desde tal foco primario, un proceso de expansión hacia las restantes zonas que después formarán el conjunto ibérico.

Con toda reserva, nos inclinamos por la segunda suposición, y en este caso no cabe duda que de haber un centro originario éste hay que buscarlo hacia el sur, más concreta-

peoples who occupied the coasts when the colonizing began possessed a certain common background. But this cannot be proved. Rather would we incline to suppose the contrary, considering that one part of this territory had been profoundly Indo-Europeanized during the first centuries of the first millennium —especially Catalonia and Aragon— whereas the southern regions seem to have better preserved the ethnic and cultural tradition of the Bronze Age. The second theory would have us imagine a primary focus of Iberianism, a zone which we might consider as the cradle of this civilization and where we can see a process of expansion from this primary focus to the remaining zones, which were later to form the Iberian whole.

With all due reserve, we are inclined to agree with the second supposition, in which case there is no doubt that if a primitive centre existed it must be looked for towards the south, in Andalusia to be precise. For the problem of Iberianism cannot be disentangled from the exciting and still enigmatic problem of Tartessos.

The case of Tartesian civilization appears to be a precedent of what would, somewhat later, be Iberianism. An autocthonous culture, that is, born in western Andalusia —between the valley of the Guadalquivir and the lands of the pro-

zone que nous pourrions considérer le berceau de cette civilisation, et à envisager, à partir de ce foyer initial, un processus d'expansion vers les autres zones qui formèrent ensuite l'ensemble ibérique.

Sous toutes réserves, nous nous inclinons pour la seconde supposition; dans ce cas, il est hors de doute que si un centre initial a vraiment existé, il faut le chercher vers le sud, et plus concrètement en Andalousie. La naissance de l'ibérisme ne peut en effet se séparer du problème, passionnant et encore énigmatique, de Tartessos.

Le cas de la civilisation tartésienne paraît se présenter comme un précédent de ce qu'allait être l'ibérisme un peu plus tard: une culture autochtone, née en Andalousie occidentale —de la vallée du Guadalquivir aux terres de la province de Huelva—, et résultant des influences phéniciennes de la première époque de la colonisation, aux environs des VIIIème au Vème siècles. Nous découvrons en effet sur ce territoire, avant que nous ne puissions parler de l'ibérisme proprement dit, une riche civilisation d'un très net caractère orientaliste.

Pour le moment, on la connaît beaucoup moins que la civilisation ibérique. Outre les

betroffenen Gebiet entstand, das den direkten Kontakt der Griechen und der Punischphönizier aufnahm und später als blühendes Feld des Iberismus erschien. Hierzu müsste man glauben, dass zwischen der voriberischen Bevölkerung der Küstenstriche im Moment der Kolonisierung, ein gemeinsames Allgemeingut bestand. Das kann man nicht beweisen. Wir neigen eher dazu, das Gegenteil zu vermuten, da ein Teil dieses Gebietes sich in den ersten Jahrhunderten des ersten Jahrtausend —vor allem Katalonien und Aragonien— zutiefst indoeuropäisiert hatte, während der südliche Teil seine etnische und kulturelle Volkstümlichkeit aus der Bronzezeit beibehalten hat. Die zweite Theorie stellt sich einen primären Fokus des Iberismus vor, eine Zone, die als die Wiege dieser Kultur betrachtet werden kann und sieht von diesem primären Fokus einen Expansionsprozess ausgehen, der sich in die restlichen Gebiete ergiesst, die dann den iberischen Komplex ergeben werden. Mit allen Vorbehalten, neigen auch wir zu dieser zweiten Annahme und in diesem Falle besteht auch kein Zweifel, dass wenn es einen ursprünglichen Kern gegeben hat, dieser im Süden, also ganz konkret, in Andalusien zu suchen wäre, denn der Ursprung des Iberismus kann nicht von dem noch rätselhaften und leidenschaftlichen Problem von Tartessus losgelöst werden. Der Fall der tartessischen Zivilisation scheint

91. Jinete. Pequeño bronce, del Santuario de La Luz, Murcia. Museo de Arqueología de Barcelona.

92. Asnos. Relieves en piedra del Santuario del Cigarralejo de Mula, Murcia. Colección Emeterio Cuadrado, Madrid.

91. *Horseman. Small bronze from the sanctuary of La Luz, Murcia. Archaeological Museum of Barcelona.*

92. *Asses. Reliefs in stone from the sanctuary of El Cigarralejo de Mula, Murcia. Emeterio Cuadrado Collection, Madrid.*

91

mente en Andalucía. Porque el nacimiento del iberismo no puede desligarse del problema, apasionante y todavía enigmático, de Tartessos.

El caso de la civilización tartésica parece presentarse como un precedente de lo que algo más tarde será el iberismo. Es decir, de una cultura autóctona, nacida en la Andalucía occidental —desde el Valle del Guadalquivir hasta las tierras de la provincia de Huelva—, como resultado de las influencias fenicias de la primera época de la colonización, en torno a los siglos VIII-V. En este territorio descubrimos, en efecto, antes de que

91. Cavalier. Petit bronze, du Sanctuaire de La Luz, Murcie. Musée d'Archéologie de Barcelone.

92. Anes. Reliefs en pierre du Sanctuaire du Cigarralejo de Mula, Murcie. Collection Emeterio Cuadrado, Madrid.

91. Reiter. Kleine Bronce aus dem Heiligtum von La Luz (Murcia). Museo de Arqueología. Barcelona.

92. Esel. Steinrelief aus dem Heiligtum von Cigarralejo de Mula (Murcia). Sammlung Emeterio Cuadrado. Madrid.

92

154

93. Caballo. Relieve en piedra del Santuario del Cigarralejo de Mula, Murcia. Colección Emeterio Cuadrado, Madrid.

94. Cabeza del mismo caballo.

93. Horse. Relief in stone from the sanctuary of El Cigarralejo de Mula, Murcia. Emeterio Cuadrado Collection, Madrid.

94. Head of the same horse.

93. Cheval. Relief de pierre du Sanctuaire du Cigarralejo de Mula, Murcie.
Collection Emeterio Cuadrado, Madrid.

94. Tête du même cheval.

93. *Pferd. Steinrelief aus dem Heiligtum von Cigarralejo de Mula (Murcia).*
Sammlung Emeterio Cuadrado. Madrid.

94. *Kopf des gleichen Pferdes.*

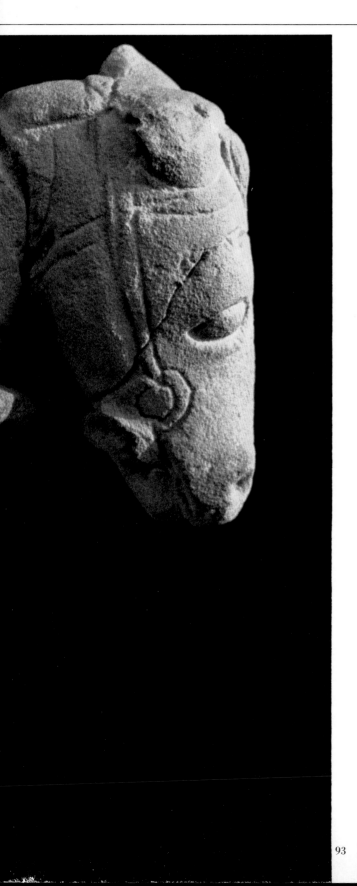

93

94

95, 96. Caballos, relieves en piedra del Santuario del Cigarralejo de Mula, Murcia. Colección Emeterio Cuadrado, Madrid.

95, 96. *Horses. Reliefs in stone from the sanctuary of El Cigarralejo de Mula, Murcia. Emeterio Cuadrado Collection, Madrid.*

...hevaux, reliefs en pierre du Sanctuaire du Cigarralejo de Mula, ...ie. Collection Emeterio Cuadrado, Madrid.

95, 96. Pferde. Steinreliefs aus dem Heiligtum von Cigarralejo de Mula (Murcia) Sammlung Emeterio Cuadrado. Madrid.

97. Pieza de orfebrería del tesoro de Tivisa.
98. Detalle de la parte superior de un pequeño bronce votivo.

97. *Piece of metalwork from the treasure of Tivisa.*
98. *Detail of the upper part of a small votive bronze.*

podamos hablar propiamente de iberismo, una rica civilización con marcado carácter orientalizante.

De momento, se conoce mucho menos que la ibérica. Pero aparte de las referencias escritas clásicas, que dieron la primera pauta para su identificación, los últimos años han sido pródigos en descubrimientos. Caben esperar todavía muchas sorpresas, y un día el problema podrá recibir respuestas apoyadas sobre bases más sólidas. De momento, observemos cómo se conjugan dos datos: primero, el cronológico, es decir la primacía de lo tartésico sobre lo ibérico; segundo, la proximidad geográfica, pues reiteradamente hemos señalado el carácter meridional de las creaciones ibéricas principales, y cómo los focos creadores parecen situarse hacia territorio andaluz.

vince of Huelva—, the result of the Phoenician influences in the first period of colonization, between the 8th and the 5th centuries B.C. In this territory we discover, in effect, before the existence of Iberianism properly speaking, a rich civilization with a pronounced orientalizing character.

For the moment much less is known of this civilization than of the Iberian. Apart, however, from the classical written references, which afforded the first clues for its identification, recent years have been prodigal in discoveries. It is quite possible that many more surprises are in store for us, and that one day the problem will be given answers resting on more solid foundations. For the moment let us observe the coincidence of two data: first, the chronological, that is, the fact that the Tartesian came before the Iberian; second, the geographical proximity, for we have repeatedly pointed out the southern character of the principal Iberian creations, and how the creative centres seem to have lain in or around Andalusian territory.

97

97. Pièce d'orfèvrerie du trésor de Tivisa.
98. Détail de la partie supérieure d'un petit bronze votif.

97. Ein Stück Goldschmiedearbeit aus dem Schatz von Tivisa.
98. Detail des Oberteils einer kleinen Votivgabe aus Bronze.

références écrites classiques qui tracèrent les premières lignes de son identification, les dernières années ont été prodigues en découvertes. On peut encore s'attendre à de nombreuses surprises, et un jour le problème pourra recevoir des réponses appuyées sur des bases plus solides. Pour le moment, observons comme se conjuguent les faits: d'abord la chronologie, c'est-à-dire la primauté du tartésien sur l'ibérique; puis, la proximité géographique, car nous avons signalé maintes fois le caractère méridional des principales créations ibériques et comment les foyers créateurs semblent se situer du côté du territoire de l'Andalousie.

98

sich als ein Vorläufer dessen anzuzeigen, was später der Iberismus sein würde, d.h. eine einheimische Kultur, die im westlichen Andalusien —vom Tal des Guadalquivir bis zu den Gebieten der Provinz Huelva— als Ergebnis der phönizischen Einflüsse aus der ersten Kolonialepoche um das VIII. — V. Jh.v.Chr., entstand. In dieser Gegend wurde tatsächlich, noch bevor man von einem eigentlichen Iberismus sprechen konnte, eine reiche Zivilisation mit markantem orientalischen Einschlag entdeckt.

Bis jetzt kennt man von dieser noch viel weniger als von der iberischen Kultur, aber abgesehen von den klassischen schriftlichen Referenzen, die die ersten Richtlinien für deren Identifizierung gaben, konnte man in den letzten Jahren reichhaltige Entdeckungen machen. Es können auf diesem Gebiet noch einige Überraschungen erwartet werden und eines Tages wird auch diese Frage gut begründete Antworten erhalten. Im Augenblick bemerken wir, dass zwei Daten übereinstimmen; erstens das Chronologische, also der Vorrang, den das Tartessische vor dem Iberischen hat und zweitens, die geographische Nähe, denn wir haben wiederholt auf den südlichen Charakter der wichtigsten iberischen Kunstwerke hingewiesen und darauf, dass die Herstellungszentren derselben auf andalusischem Gebiet zu liegen scheinen.

SOCIOLOGÍA DEL ARTE IBÉRICO

Sobre el desarrollo de la escultura ibérica en relación con los artistas que ejecutaron las obras conocidas, no sabemos prácticamente nada. Las escasas fuentes escritas grecorromanas que refieren detalles de la sociedad ibérica no mencionan en absoluto la presencia de un arte local, los textos ibéricos ya hemos señalado que son intraducibles (y si algún día se descifran difícilmente podemos esperar noticias de este tipo) y por otra parte, como es natural, dada la época y la sociedad de que se trata, no están firmadas. No resulta demasiado aventurado suponer que en su origen algún escultor griego pudo tener participación directa en la creación de la escuela y del estilo. Artistas emigrados, de segundo o tercer orden en su propio país, que originariamente trabajaron en las colonias griegas de Occidente, pudieron haberse establecido en territorio ibérico buscando una clientela nueva. Pero si la hipótesis resulta en principio aceptable, estos casos debieron ser muy limitados, esporádicos, y no pasa de ser una suposición falta de bases concretas sobre las que apoyarse. Parece indiscutible que la mayor parte de

THE SOCIOLOGY OF IBERIAN ART

Practically nothing is known about the development of Iberian sculpture in relation to the artists who created the known works. The very few Greco-Roman written sources which give any details of Iberian society make absolutely no mention of the existence of a local art, the Iberian texts we have already seen to be untranslatable (and if they are ever deciphered we can hardly expect any news of this kind) and, moreover, as is natural bearing in mind the period and the society in question, they are not signed. It does not seem too rash to suppose that at the beginning some Greek sculptor may have participated directly in the creation of the school and of the style. Emigrant artists, considered second- or third-rate in their own country, and who had originally worked in the western Greek colonies, may have settled in Iberian territory in search of a new clientele. But though this hypothesis seems acceptable on principle, these cases would surely have been very limited and sporadic, and it is no more than a supposition lacking any definite foundations to support it. It seems unquestionable that the greater part of the Iberian sculptures

SOCIOLOGIE DE L'ART IBÉRIQUE

Nous ne savons pratiquement rien sur le développement de la sculpture ibérique par rapport aux artistes qui exécutèrent les œuvres connues. Les rares sources écrites gréco-romaines qui fournissent des détails sur la société ibérique ne mentionnent absolument pas la présence d'un art local; nous avons déjà signalé que les textes ibériques sont intraduisibles (si un jour ils sont déchiffrés, nous pouvons difficilement nous attendre à des surprises de ce genre); d'autre part, étant donné l'époque et la société dont il s'agit, ils ne sont naturellement pas signés. Il n'est pas trop aventureux de supposer qu'à l'origine quelque sculpteur grec a pu contribuer directement à la création de l'école et du style. Des artistes émigrés, de deuxième ou de troisième ordre dans leur propre pays, et qui, au début, travaillèrent dans les colonies grecques d'occident, purent s'être établis en territoire ibérique, à la recherche d'une nouvelle clientèle. Mais quoique la thèse soit en principe acceptable, ces cas durent être très limités, sporadiques, et elle n'est qu'une supposition manquant de bases con-

DIE GESELLSCHAFTSLEHRE DER IBERISCHEN KUNST

Über die Entwicklung der iberischen Bildhauerkunst in Verbindung mit den Künstlern, die die bekannten Werke geschaffen haben, ist so gut wie nichts bekannt. Die wenigen schriftlichen griechisch-römischen Quellen, die Aufschluss über die iberische Gesellschaft geben können, erwähnen nichts über das Vorkommen einer lokalen Kunstrichtung. Wie schon vermerkt, können die iberischen Texte nicht übersetzt werden (und sollten sie eines Tages doch noch entziffert werden können, wird man schwerlich etwas hierüber finden), andrerseits sind sie auch nicht unterschrieben, wie es in Anbetracht des Zeitalters und der damaligen Gesellschaftsordnung auch nicht anders zu erwarten ist. Es ist nicht zu gewagt anzunehmen, dass wohl anfangs ein griechischer Bildhauer einen direkten Anteil an der Schaffung einer Schule und eines Stiles hatte. Weiter können sich auch ausgewanderte Künstler, die in ihrem eigenen Land nur als zweit- oder drittrangig galten und anfänglich in den griechischen Kolonien des Westens Arbeit suchten, auf iberischem Gebiet niedergelassen haben um neue Kundschaft zu suchen. Wenn auch diese Hypothese im Prinzip haltbar

99, 100. Detalle y conjunto de una terracota policromada, hallada en una tumba de la Albufereta de Alicante. Hombre y mujer con el huso simbolizando el Tiempo —vida y muerte— Museo Arqueológico de Alicante.

99, 100. Detail and whole of a polychrome terracotta piece, discovered in a tomb in La Albufereta, Alicante. Man and woman with the spindle symbolizing Time - life and death. Archaeological Museum of Alicante.

99, 100. Détail et ensemble d'une terre cuite polychromée, trouvée dans une tombe de la Albufereta d'Alicante. Homme et femme avec le fuseau symbolisant le Temps —vie et mort—. Musée Archéologique d'Alicante.

99, 100. Detail und Gesamtansicht einer buntbemalten Terrakotta, die in einem Grab von Albufereta de Alicante gefunden wurde. Mann und Frau mit der Spindel, die das Symbol der Zeit —Leben und Tod— darstellt. Museo Arqueológico. Alicante.

crètes pour l'épauler. Il semble indiscutable que la plus grande partie des sculptures ibériques doivent être attribuées à des artistes indigènes, et que même si l'art ibérique ne s'explique pas sans le précédent et le stimulant grecs, la sculpture conserve cependant un caractère nettement indigène, autonome.

Dans bien des cas les similitudes, plus qu'aux influences directes, sont dues au fait que les conditions socio-économiques et de milieu entre l'époque de l'archaïsme grec et la société ibérique étaient beaucoup plus proches de ce qu'il semble à première vue.

Par contre, l'évidente unité de style et de conception de la sculpture ibérique en pierre plaide en faveur d'un échange d'artistes entre les différentes zones où elle se développa.

Devant la plupart des sculptures ibériques, il est facile de s'apercevoir qu'il ne s'agit pas d'œuvres improvisées. Les moyens techniques sont sans doute limités, mais la sûreté d'exécution et la capacité d'expression obtenue par une grande sobriété de lignes, sont incompatibles avec n'importe quel genre d'improvisation. En définitive, il y a derrière chaque sculpture ibérique une tradition, un métier, et, si l'on veut, un atelier.

ist, muss es sich um sehr vereinzelte und sporadisch auftretente Fälle gehandelt haben und es kann nichts anderes sein als eine Vermutung ohne jegliche Grundlage. Es scheint jedoch unbestritten, dass der grösste Teil der iberischen Skulpturen einheimischen Künstlern zugeschrieben werden kann und, obwohl man die iberische Kunst nicht ohne den griechischen Einfluss und Antrieb erklären kann, besitzt sie doch einen reinen, autonomen und einheimischen Charakter. Die in vielen Fällen bestehenden Ähnlichkeiten sind weniger durch die direkten Einflüsse bedingt, als durch die damaligen sozialwirtschaftlichen und umgebungsbedingten Bedingungen, zwischen dem Zeitalter des griechischen Archaismus und der iberischen Gesellschaft, die sich viel näher standen als man auf den ersten Blick ahnen könnte.

Dagegen zeugt die stilistische und begriffliche Einheit der iberischen Steinskulptur von einem Künstleraustausch innerhalb der verschiedenen Gebiete wo diese Kunst blühte. Anhand der meisten iberischen Skulpturen kann leicht festgestellt werden, dass es sich nicht um improvisierte Werke handelt. Zwar sind die zur Verfügung stehenden Mittel sehr beschränkt, doch die Sicherheit in der Ausführung und die erreichte Ausdruckskraft in der nüchternen Linienführung, sind unvergleichlich gegenüber jeder Art

101. Fragmento de relieve arquitectónico. Museo de Córdoba.   *101. Fragment of architectural relief. Museum of Cordova.*

101. Fragment de relief architectural. Musée de Cordoue.

101. *Fragment eines architektonischen Reliefs. Museum von Córdoba.*

Or, le sculpteur ibérique sur pierre, celui qui élaborait des œuvres monumentales, n'avait certainement pas une clientèle illimitée, mais tout le contraire. Naturellement, nous ne devons pas faire une évaluation en nous basant sur les pièces qui se conservent actuellement. Celles-ci ne représentent qu'un pourcentage réduit de la production réelle, comme il arrive dans n'importe quel aspect des arts de l'Antiquité. Il faut leur ajouter toutes celles qui se sont perdues au cours des siècles qui nous séparent de cette civilisation, et nous devons faire remarquer que les spécimens de l'art classique gréco-romain sont amoureusement recueillis depuis la Renaissance tandis que la mise en valeur de l'art ibérique est un phénomène récent. En outre, la plupart des centres urbains ibériques n'ont pas duré jusqu'à nos jours —comme c'est le cas pour les villes romaines occidentales— et se sont converties en *champs de solitude*, en *collines désolées*, pour le dire avec l'emphase de la Renaissance. Ce qui, dans la pratique, revient à dire que la plus grande partie des découvertes de sculptures se sont produites dans la zone rurale, hors de la portée des gens doctes et curieux qui auraient pu avoir un certain intérêt à les conserver. Finalement, tenons compte du petit nombre de fouilles réalisées pour la plupart dans les zones qui furent les centres pro-

von Improvisation. Schliesslich steht hinter jeder iberischen Skulptur eine Tradition, ein Handwerk und, wenn man so will, auch eine Kunstwerkstatt.

Der iberische Steinmetz, der Werke von einiger Pracht und Grösse schuf, hatte zwar keine unbeschränkte Kundschaft, sondern ganz das Gegenteil, und die Rechnung darf nicht anhand der heute noch erhaltenen Werke aufgestellt werden. Diese stellen heute nur einen sehr kleinen Prozentsatz von denen dar, die damals wohl geschaffen wurden, wie das ja auch in jeder Beziehung mit der Kunst im Altertum der Fall war. Der Rechnung müssen unbedingt auch jene vielen Werke zugerechnet werden, die im Laufe der Jahrhunderte, die uns von jener Zeit trennen, verloren gingen. Ausserdem muss bemerkt werden, dass die Kunstwerke, die aus der klassischen römisch-griechischen Kunst stammen, seit der Renaissance sehr liebevoll gesammelt werden, während die Bewertung der iberischen Kunst eine Erscheinung der jüngsten Zeit ist. Weiter haben die meisten Wohnzentren der Iberer nicht bis heute fortbestanden (wie dies bei den römischen Städten des Westens der Fall war), sondern sie verfielen und verwandelten sich in einsame, verödete Felder, in traurige Anhöhen, *um mit dem Pathos der Renaissance zu sprechen. Praktisch soll damit gesagt werden,*

102. Figurita de terracota del Santuario de La Serreta de Alcoy. Últimas derivaciones del arte ibérico en época ya imperial romana. Museo de Alcoy.

103. Grifo de piedra. La Alcudia de Elche. Colección Ramos Folques.

102. *Terracotta figurine from the sanctuary of La Serreta de Alcoy. Last derivations of Iberian art, lingering on into the period of the Roman Empire. Museum of Alcoy.*

103. *Stone griffin. La Alcudia de Elche. Ramos Folques Collection.*

102. Figurine de terre cuite du Sanctuaire de la Serreta d'Alcoy. Dernières derivations de l'art ibérique à une époque déjà impériale romaine. Musée d'Alcoy.

103. Griffon de pierre. La Alcudia d'Elche. Collection Ramos Folques.

102. *Kleine Terrakotta-Figur aus dem Heiligtum von La Serreta de Alcoy. Letzte Ableitungen der Iberischen Kunst in der Zeit des Römischen Imperiums. Museum von Alcoy.*

103. *Greif aus Stein. La Alcudia de Elche. Sammlung Ramos Folques.*

las esculturas ibéricas deben ser atribuidas a artistas indígenas, y que si bien el arte ibérico no se explica sin el precedente y el estímulo griego, sin embargo la escultura tiene un carácter netamente autónomo, indígena. En muchos casos las similitudes provienen más que de influencias directas, del hecho que las condiciones socioeconómicas y ambientales entre la época del arcaísmo griego y la sociedad ibérica eran mucho más próximas de lo que podría sospecharse a primera vista.

En cambio la evidente unidad estilística y conceptual de la escultura ibérica en piedra postula a favor de un intercambio de artistas entre las distintas áreas en las que floreció.

Ante la mayoría de las esculturas ibéricas, es fácil comprobar que no se trata de obras improvisadas. Los medios técnicos son, sin duda, limitados, pero la seguridad de ejecución y la capacidad expresiva obtenida con gran sobriedad de líneas resultan incomparables con cualquier tipo de improvisación. En definitiva, hay detrás de cada pieza escultórica ibérica una tradición, un oficio y, si se quiere, un taller.

Ahora bien, el escultor ibérico en piedra, el que elaboraba obras de una cierta monumen-

102

104. Pieza de orfebrería del tesoro de Tivisa.

105. Tres bronces de los Santuarios de Sierra Morena, sin procedencia exacta. Antigua Colección Pérez Caballero, ahora en el Museo de Prehistoria de Valencia.

104. *Piece of metalwork from the treasure of Tivisa.*

105. *Three bronzes from the sanctuaries of the Sierra Morena, their exact point of origin unknown. From the former Pérez Caballero Collection, now in the Prehistory Museum of Valencia.*

104

105

104. Pièce d'orfèvrerie du Trésor de Tivisa.

105. Trois bronzes des Sanctuaires de Sierra Morena, sans provenance exacte. Ancienne Collection Pérez Caballero, maintenant au Musée de Préhistoire de Valencia.

104. *Goldschmiedestück aus dem Schatz von Tivisa.*

105. *Drei Bronzen aus den Heiligtümern der Sierra Morena (Andalusien) ohne genaue Herkunftsangabe. Frühere Sammlung von Pérez Caballero, jetzt im Museo de Prehistoria von Valencia.*

106. Oferente. Pequeño bronce del Santuario de Castillar de Santisteban, Jaén. Museo de Arqueología de Barcelona.

107. Pieza de orfebrería del tesoro de Tivisa.

108. Dos bronces de los Santuarios ibéricos de Despeñaperros. Antigua Colección Pérez Caballero. Museo de Prehistoria de Valencia.

106. *Offerer. Small bronze from the sanctuary of Castillar de Santisteban, Jaén. Archaeological Museum of Barcelona.*

107. *Piece of metalwork from the treasure of Tivisa.*

108. *Two bronzes from the Iberian sanctuaries of Despeñaperros. Former Pérez Caballero Collection. Prehistory Museum of Valencia.*

107

106

106. Offrant. Petit bronze du Sanctuaire de Castillar de Santisteban, Jaén. Musée d'Archéologie de Barcelone.

107. Pièce d'orfèvrerie du trésor de Tivisa.

108. Deux bronzes des Sanctuaires ibériques de Despeñaperros. Ancienne Collection Pérez Caballero. Musée de Préhistoire de Valencia.

106. *Opfernde. Kleine Bronze aus dem Heiligtum von Castillar de Santisteban (Jaén). Museo de Arqueología. Barcelona.*

107. *Goldschmiedestück aus dem Schatz von Tivisa.*

108. *Zwei Bronzen aus den iberischen Heiligtümern von Despeñaperros. Frühere Sammlung von Pérez Caballero. Museo de Prehistoria. Valencia.*

109

109. Bronce de Castillar de Santisteban, Jaén. Museo de Arqueología de Barcelona.

109. Bronze from Castillar de Santisteban, Jaén. Archaeological Museum of Barcelona.

109. Bronze de Castillar de Santisteban, Jaén. Musée d'Archéologie de Barcelone.

109. Bronze aus Castillar de Santisteban (Jaén). Museo de Arqueología. Barcelona.

ducteurs de cet art. Beaucoup de sculptures ibériques attendent sans doute patiemment sous terre, dormant le sommeil des siècles, le moment où la pioche de l'archéologue ou un heureux hasard les rendront à la lumière et au patrimoine artistique des hommes.

Partout, même si l'on tient compte de toutes ces circonstances, la production de sculptures fut limitée parce que la demande le fut aussi.

Il n'est permis de supposer un rythme pouvant maintenir en permanence un ou plusieurs ateliers que dans les grands sanctuaires et les centres urbains les plus développés, comme cela a pu se produire dans le cas de la Colline des Saints, de El Cigarralejo, ou d'Elche, et peut-être aussi de quelque cité andalouse. Dans ces conditions, et sauf dans des cas sporadiques, il n'est pas possible d'imaginer des sculpteurs fixés dans les villes ou villages où nous découvrons actuellement leurs œuvres. L'artiste ambulant dut exister, qui se déplaçait selon les besoins de la demande et travaillait ici et là, sans se fixer définitivement, un peu à la manière —toutes distances gardées— des sculpteurs du Moyen Age. Ce nomadisme était d'autant plus facile que l'aire dans laquelle se développa la sculpture ibérique était géographiquement limitée, et

dass der grösste Teil der entdeckten Skulpturen auf dem Lande gefunden wurde, also ausserhalb des Bereiches der gebildeten und neugierigen Leute, die vielleicht an der Bewahrung der Kunstwerke ein Interesse hätten haben können. Schliesslich muss auch in Betracht gezogen werden, dass die Ausgrabungen in den Gebieten wo die eigentlichen Produktionszentren dieser Kunst lagen, nicht mit Nachdruck vollzogen wurden. Wahrscheinlich warten noch viele iberische Skulpturen geduldig unter der Erde, in jahrhundertelangem Schlaf, auf den Moment, wo der Pickel des Archäologen oder ein anderer glücklicher Zufall, sie an das Tageslicht befördert, um den Menschen als künstlerisches Erbgut zurückerstattet zu werden.

Doch trotz aller aufgezeichneten Umstände, war die bildhauerische Produktion nur sehr gering, weil auch die Nachfrage gering war. Nur bei den grossen Heiligtümern und in den grösseren Wohnzentren vermutet man, dass ein Rhythmus bestanden haben mag, der dauernd beschäftigte Kunstwerkstätten zu unterhalten erlaubte, wie dies beim Cerro de los Santos, bei El Cigarralejo oder in Elche und vielleicht noch in der einen oder anderen andalusischen Stadt der Fall gewesen sein könnte. Unter diesen Bedingungen, vielleicht einige vereinzelte Fälle ausgenommen, kann man sich nicht vorstellen, dass es an den

talidad, no tenía ciertamente una clientela ilimitada, sino todo lo contrario. El cálculo, claro está, no debemos hacerlo a base de las piezas que hoy se conservan. Estas no representan más que un reducido tanto por ciento de las que se produjeron, como acontece con cualquier aspecto de las artes de la Antigüedad. Hay que sumar a la cuenta las muchas que se han perdido a través de los siglos que nos separan de aquella civilización, con la advertencia que las piezas del arte clásico grecorromano se vienen recogiendo amorosamente desde el Renacimiento, mientras que la valoración del arte ibérico es un fenómeno reciente. Además la mayoría de los centros urbanos ibéricos no han seguido viviendo hasta hoy (como sucede con las ciudades romanas de Occidente) sino que se han convertido en *campos de soledad, mustio collado* para decirlo con el énfasis renacentista. Lo cual equivale a decir, en la práctica, que la mayor parte de los descubrimientos de piezas escultóricas se han producido en el ámbito rural, fuera del alcance de gentes doctas y curiosas que hayan podido tener interés en conservarlas. Por fin, tengamos en cuenta la escasa densidad de excavaciones realizadas en la mayor parte de los territorios que fueron los centros productores de este arte. Sin duda, muchas esculturas ibéricas esperan

must be attributed to indigenous artists, and that, though Iberian art cannot be explained without the Greek precedent and stimulus, nevertheless the sculpture has a clearly autonomous, indigenous character. In many cases, rather than from direct influences the similarities arise from the fact that socioeconomic and environmental conditions between the period of Greek archaicism and that of Iberian society were much closer than might be suspected at first sight.

On the other hand, the evident unity, in style and concept, of Iberian sculpture in stone is an argument which shows that there were exchanges of artists among the various areas in which it flourished. Looking at the majority of Iberian sculptures, it is easy to see that they are not improvised works. The technical means are, undoubtedly, limited, but the sureness of execution and the capacity of expression obtained with a great sobriety of lines are quite incompatible with any kind of improvisation. In short, behind each piece of Iberian sculpture there is a tradition, a craft and, if you like, a studio.

The Iberian sculptor in stone, however, the one who created works of a fairly monumental character, certainly had not an unlimited clientele,

que les distances à parcourir étaient de ce fait réduites, même en tenant compte de l'idée de distance si différente à l'époque.

L'absence d'un pouvoir centralisé, de monarchies solides, ainsi que de cités dotées d'une organisation suffisamment complexe, empêcha la formation d'une clientèle courtisane ou d'une demande de la part des «municipalités». Il convient de ne pas oublier, d'autre part, que la pauvreté, le manque d'envergure des œuvres architecturales ibériques, ne permirent pas à la sculpture le développement que lui offrit, lors d'autres civilisations antiques, la décoration d'édifices monumentaux. On ne peut ici établir de comparaison avec l'Egypte ni avec les états du Proche Orient ni avec la Grèce, où l'un des objectifs de la sculpture fut fonction de l'architecture, idée qui existe aujourd'hui dans notre esprit, pénétré de tout l'art ancien. Par ce que nous savons maintenant, le monde ibérique diffère à cet égard de ses prédécesseurs et de ses contemporains de la Méditerranée orientale.

Dans ces conditions, les sculpteurs ibériques durent être relativement peu nombreux, formés dans quelques centres à partir desquels ils rayonnèrent, se déplaçant temporairement vers les lieux requis par la demande. Cette

Orten, wo die Werke gefunden wurden, sesshaft gewordene Bildhauer gegeben haben kann. Eher muss es Wanderkünstler gegeben haben, die je nach Bedarf, mal hier und mal dort arbeiteten, ohne endgültig sesshaft zu werden, etwa nach dem Beispiel — von den Nuancenunterschieden abgesehen — der Bildhauer des Mittelalters entsprechend. Dieser Wandertrieb wurde noch dadurch gefördert, dass das Gebiet in welchem sich die iberische Bildhauerkunst entwickelte, geographisch gesehen, ziemlich begrenzt war und die Entfernungen zwischen dem einen und dem anderen Ort nicht gross waren, selbst wenn man dem Begriff der Entfernungen jener Zeit Rechnung trägt, der von den heutigen so verschieden war.

Der Mangel an einer zentralen Verwaltungsstelle, an dauerhaften Monarchien sowie an Städten mit einer genügend zusammengefassten Organisation, verhinderte, dass es eine kaufkräftige Kundschaft aus den Hofkreisen, oder eine Nachfrage seitens der «Gemeindeverwaltungen» gab. Andrerseits darf nicht vergessen werden, dass die Ärmlichkeit und geringe Ausdehnung der iberischen Bauwerke, die Entwicklung der Bildhauerei nicht förderte, wie es bei den anderen alten Kulturen der Fall war, die ihre grossen prächtigen Gebäude dekorieren liessen. Es kann kein Vergleich gezogen werden weder

pacientemente bajo tierra, durmiendo el sueño de los siglos, el momento en que la piqueta del arqueólogo o un feliz azar las devuelva a la luz y al patrimonio artístico de los hombres.

Pero aun teniendo en cuenta todas las circunstancias señaladas, la producción escultórica fue limitada porque lo fue la demanda. Sólo en los grandes santuarios y en los centros urbanos de mayor empuje cabe suponer un ritmo que pudiera mantener un taller o unos talleres permanentes, como puede ser el caso del Cerro de los Santos, de El Cigarralejo, o de Elche, y posiblemente de alguna que otra ciudad andaluza. En tales condiciones y salvo casos esporádicos, no es posible imaginar a los escultores fijados en las ciudades o poblados en que ahora hallamos sus obras. Debió existir el artista ambulante, que se trasladaría según las necesidades de la demanda, que trabajaría ora en un lugar ora en otro, sin fijarse definitivamente, un poco al ejemplo —salvadas todas las diferencias de matiz—, de los escultores medievales. Este nomadismo venía facilitado por cuanto el área en que se desarrolló la escultura ibérica era geográficamente limitada, y las distancias a recorrer, por tanto, escasas, aun teniendo en cuenta el concepto de distancias de la época tan diferente del que manejamos hoy.

but quite the contrary. The estimate, of course, should not be made on the basis of the pieces which are preserved today. These do not represent more than a very small percentage of all those produced, as is the case with any aspect of the arts of antiquity. To those we have must be added the many which have been lost down through the centuries which separate us from that civilization, not forgetting that the loving collection of the pieces of classical Greco-Roman art has been going on ever since the Renaissance, whereas the appreciation of Iberian art is a recent phenomenon. Besides, the greater part of Iberian urban centres have not survived as such down to the present (as is the case with the Roman cities of the west), but have become fields of solitude, gloomy heights, *to give it the true emphasis of the Renaissance. Which is as much as to say, in practice, that most of the discoveries of sculptures have been made in the countryside, beyond the reach of learned or curious people who might have had some interest in preserving them. Finally, we should also remember how very few excavations have been carried out in the majority of the territories which were the centres of production of this art. Undoubtedly, many Iberian sculptures are still under the earth, sleeping the sleep of centuries, patiently awaiting the moment when the archeologist's pick or some lucky chance restores*

supposition répond davantage aux réalités de l'époque que celle du transport des grandes pièces depuis d'hypothétiques ateliers jusqu'aux lieux de destination, en raison des difficultés qu'offrait le transport de grands poids. Elle est surtout valable pour les sculptures d'animaux: biches, lions, taureaux, etc., dont l'aire de dispersion est plus vaste que celle des figures humaines, et qui apparaissent fréquemment en un même lieu comme pièces uniques ou en un très petit nombre d'exemplaires.

La raison pour laquelle cette sculpture monumentale disparut si vite, bien avant la fin de la culture ibérique, est un pur mystère. Un art déjà stabilisé, qui accomplit une fonction sociale marquée —religieuse dans ce cas—, meurt rarement sans laisser à peine de trace, tandis que la société qui le créa se maintient sans variations essentielles. Il est évident pour nous aujourd'hui que la sculpture de pierre eut son grand moment aux vème et ivème siècles et peut-être une partie du iiième, comme nous l'avons déjà indiqué. Et s'il est vrai que vers la moitié du iiième siècle il y eut des convulsions importantes sur une bonne partie du territoire ibérique, dues à la pression conquérante des Carthaginois et ensuite à la conquête du pays par

mit Ägypten, noch mit den Staaten des Nahen Ostens und viel weniger mit Griechenland, bei denen der eigentliche Zweck der Bildhauerkunst gerade auf die Architektur ausgerichtet war und diese Vorstellung bringen wir heute noch immer in Verbindung mit der gesamten antiken Kunst.

Was wir nun in dieser Hinsicht erforschen konnten ist, dass die iberische Welt sich von ihren Vorgängern und Zeitgenossen aus dem östlichen Mittelmeerraum völlig unterscheidet.

Unter diesen Umständen, muss es relativ wenig iberische Bildhauer gegeben haben, die in einigen wenigen Schulen ausgebildet wurden und von dort ausstrahlten, indem sie vorübergehend dahingingen, wo sie gerade gebraucht wurden. Diese Vorstellung steht mehr in Einklang mit der Wirklichkeit jener Zeit als die Annahme, dass die grossen Kuntwerke, von den hypothetischen Werkstätten an denen sie entstanden sein sollen, an ihren jeweiligen Bestimmungsort gebracht wurden; umsoweniger, wenn man die damaligen Transportschwierigkeiten für sperrige Stücke in Betracht zieht. Dies gilt ganz besonders für die grossen Tierplastiken, die «Harpyen, Löwen, Stiere, usw.» die über ein grösseres Gebiet verteilt waren, als die der menschlichen Figuren und die sehr oft als Einzelstücke, oder in geringer

La falta de un poder centralizado, de monarquías sólidas, así como de ciudades con organización suficientemente compleja, impidió la existencia de una clientela cortesana o de una demanda por parte de los «municipos».

Conviene no olvidar, por otra parte, que la pobreza, la escasa envergadura de las obras arquitectónicas ibéricas no permitieron a la escultura el desarrollo que le facilitó en otras civilizaciones antiguas la decoración de edificios monumentales. No cabe aquí el paralelo con Egipto, ni con los estados del Próximo Oriente, ni con Grecia, donde una de las finalidades de la escultura fue en función de la arquitectura, idea que hoy existe en nuestra mente ligada a todo el arte antiguo. Por lo que ahora podemos saber en este aspecto, el mundo ibérico discrepa de sus precedentes y contemporáneos del Mediterráneo Oriental.

En tales condiciones, los escultores ibéricos debieron ser relativamente pocos, formados en unos cuantos centros, desde donde irradiaron, trasladándose temporalmente a los lugares que la demanda pedía. Esta visión está más de acuerdo con las realidades de la época que suponer el traslado de las grandes piezas desde unos hipotéticos talleres hasta los lugares de destino, dadas las dificultades

them to the light, to the artistic patrimony of mankind.

But even bearing in mind all the circumstances we have mentioned, the production of sculpture was limited because the demand was also restricted. Only in the great sanctuaries and in the more thriving urban centres can we suppose a rhythm of production sufficient to support a permanent workshop or workshops, as may have been the case with the «Hill of the Saints», El Cigarralejo or Elche, and possibly that of one or two other Andalusian towns. In such conditions, except for sporadic cases, it is not possible to imagine the sculptors living permanently in the towns or settlements where we find their works today. They must have been itinerant artists, who would travel from place to place according to the necessities of the demand, working now in one place now in another, without fixing on any definite residence, a little after the fashion —making all due allowance for minor differences— of the medieval sculptors. This nomadism was rendered easier by the fact that the whole area of Iberian sculpture was relatively limited, the distances to be covered being, therefore, short, even when we remember the great difference between the concept of distances obtaining in that period and that we have today.

les Romains, il est certain aussi que pour l'instant le monde ibérique maintint pratiquement intacte sa structure interne, d'après ce qui peut se déduire de notre information actuelle. Les autres aspects de sa société et de son art le démontrent, comme nous aurons l'occasion de le voir par la suite, lorsque nous parlerons des aspects sociologiques de la peinture, et comme nous l'avons déjà annoncé dans le schéma de l'ibérisme qui nous a servi d'introduction.

Nous ne devons pas nous étonner que la date de la sculpture ait été très discutée par les spécialistes. C'est seulement lorsqu'on a pu manier l'évidence archéologique, fondée sur des stratigraphies sûres, que l'on est parvenu à déterminer avec une certaine assurance la date de ses débuts, et surtout à savoir qu'au moment culminant de la peinture sur céramique —l'autre aspect optimum de l'art ibérique— la grande sculpture avait déjà disparu. Reste sans doute la possibilité que certaines figures de porteurs d'offrandes de la Colline des Saints soient postérieures à cette date. En tout cas, il s'agirait plutôt d'une exception, envisagée à la fois comme une conséquence du sanctuaire et de la tradition locale. Mais il faut avouer que nous savons bien peu de la chronologie des pièces

Anzahl, an einem und den gleichen Ort vorgefunden wurden.

Warum diese Monumentalskulptur so frühzeitig, das heisst, lange bevor die iberische Kultur unterging, verschwand, ist ein grosses Rätsel. Ganz selten kommt es vor, dass eine Kunst, die festen Fuss gefasst hat und die noch dazu eine markante soziale Rolle spielt —in diesem Falle eine Religiöse—, so vergeht, dass sie kaum Spuren hinterlässt, während die Gesellschaft, die sie schuf, noch ohne wesentliche Veränderungen fortbesteht. Heute steht allerdings fest, dass die Steinskulpturen ihren Höhepunkt im V., IV. und teilweise im III. Jahrhundert vor Christi, wie bereits erwähnt, erreicht hatten. Obwohl es gewiss ist, dass gegen Mitte des III. Jh. sich auf einem grossen Teil des iberischen Gebietes schwere Unruhen, infolge des Eroberungsdranges der Karthager entwikkelten und danach die Römer sich des ganzen Landes bemächtigten, ist es nicht minder wahr, dass die iberische Welt in ihrer internen Struktur praktisch intakt blieb, wie die neuere Forschung auf diesem Gebiet erwiesen hat. Dieses wird auch durch die weiteren gesellschaftlichen Formen der Iberer und ihrer Kunst bewiesen, wie man sogleich sehen wird, wenn es zur Betrachtung der soziologischen Gesichtspunkte der Malerei kommt, von denen wir schon Eingangs

de transporte de grandes pesos. Ello es válido sobre todo para las esculturas de animales, las «bichas», leones, toros, etc., cuya área de dispersión es mayor que la de figuras humanas y que con frecuencia aparecen en un mismo lugar como piezas únicas o en muy escaso número de ejemplares.

El porqué esta escultura monumental desapareció tan pronto, mucho antes del final de la cultura ibérica, es un puro misterio. Raras veces un arte ya estabilizado, que cumple una marcada función social —en este caso religiosa— muere sin dejar apenas rastro, mientras la sociedad que la creó se mantiene sin variaciones esenciales. Hoy está claro que el momento de la escultura en piedra fueron los siglos V, IV y posiblemente parte del III, como ya hemos indicado. Y si bien es cierto que hacia la mitad del siglo III se produjeron convulsiones importantes en buena parte del territorio ibérico, debido a la presión conquistadora de los cartagineses, y que a continuación fueron los romanos los que se apoderaron del país, también lo es que, de momento el mundo ibérico se mantuvo prácticamente intacto en su estructura interna según podemos deducir a través de nuestra información actual. Lo demuestran los restantes aspectos de su sociedad y de su arte, como tendremos

The lack of a centralized power, of firm monarchies, as also of towns with a sufficiently complex organization, did not permit the existence of a clientele of courtiers or of any demand on the part of «municipalities». It should not be forgotten, moreover, that the poverty and narrow compass of Iberian architectural work did not permit the sculpture to attain the development fostered in other ancient civilizations by the decoration of monumental buildings. There can be no parallel here with Egypt, or with the countries of the Near East, or with Greece, where one of the purposes of sculpture was its architectural function, an idea closely linked, in our modern minds, with all ancient art. As far as our present knowledge of this aspect goes, the Iberian world differs from its predecessors and contemporaries of the eastern Mediterranean.

Given such conditions, the Iberian sculptors must have been relatively few, trained in a small number of centres, from which they moved temporarily to other places in accordance with the demand. This view fits better with the realities of the time than to suppose the carrying of the larger pieces from some hypothetical workshops to the places for which they were intended, considering the difficulties involved in the transport of great weights. This is valid

de la Colline des Saints: si un jour, après une étude définitive des dates de ses sculptures, la théorie de la permanence s'avérait certaine, elle ne changerait pas pour autant la vision de l'ensemble. Autrement dit, nous continuerions à ignorer la problématique inhérente à la décadence de la sculpture ibérique en général.

Cette décadence ne peut être liée à un épuisement stylistique. Bien au contraire. La sculpture ibérique n'avait montré aucun symptôme de fatigue ni le moindre indice faisant présager un écroulement proche. La meilleure preuve en est que devant une sculpture quelconque il est impossible de déterminer, par son style, s'il s'agit d'une production de la période finale, parce qu'il nous manque les caractéristiques déterminantes des derniers moments du cycle artistique. Quand la phase finale dut se produire, on ne sculptait déjà plus.

Il s'agit donc sans aucun doute d'une mort venue du dehors, qui ne laissa pas se fermer la courbe qui détermine les derniers sursauts des séries artistiques. Les causes qui en finirent avec cette manifestation originale furent sociales. Furent-elles dues à la convulsion guerrière ou à un changement de structure des couches

sprachen als wir das Schema des Iberismus erwähnten.

Man darf sich nicht wundern, dass das Zeitalter der Bildhauerkunst unter den Fachleuten grosse Diskussionen hervorrief. Erst als man mit der archäologischen Tatsache umzugehen verstand, die sich auf sichere Schichtungen gründete, konnte man mit Bestimmheit den Anfangspunkt jener Kunst festlegen und vor allem feststellen, dass die grosse Bildhauerei bereits vergangen war, als die Keramikmalerei ihren Höhepunkt erreicht hatte — die ja die andere Seite der iberischen Kunst bildete —. Es besteht freilich noch die Möglichkeit, dass einige der opfernden Figuren, die am Cerro de los Santos gefunden wurden, einer späteren Zeit als die angegebene, angehören; dann wäre dies aber schon eher eine Ausnahme, die in anbetracht des Heiligtumes sowie der Lokaltradition, beibehalten wurde. Feststeht jedoch, dass man über die Entstehungszeit der Kunstwerke vom Cerro de los Santos, wenig Einzelheiten kennt. Wenn aber eines Tages, nach einem endgültigen Studium der Entstehungszeit der Skulpturen, festgestellt wird, dass die Theorie des Fortbestandes sich bestätigt und als wahr erweist, würde sich dennoch der gesamte Blickpunkt nicht ändern. Das soll heissen, dass uns die Problematik und das Rätsel um den Verfall der iberischen Bildhauerkunst

110. Vista del cerro de Sagunto, donde se elevó la ciudad ibérica.
111. Vaso del poblado de San Miguel de Liria, Valencia. Museo de Prehistoria de Valencia.
112. Detalle de un vaso pintado de La Alcudia de Elche. Colección Ramos Folques, Elche.

110. *View of the hill of Sagunto, the site of the Iberian city.*
111. *Vase from the settlement of San Miguel de Liria, Valencia. Prehistory Museum of Valencia.*
112. *Detail of a painted vase from La Alcudia de Elche. Ramos Folques Collection, Elche.*

ocasión de ver en seguida al tratar de los aspectos sociológicos de la pintura, y como ya hemos adelantado en el esquema del iberismo que nos ha servido de introducción.

No debemos extrañarnos, pues, que la fecha de la escultura haya sido objeto de grandes discusiones entre los especialistas. Sólo cuando se ha podido manejar la evidencia arqueológica, basada en estratigrafías seguras, se ha conseguido conocer con cierta firmeza la fecha de sus comienzos y sobre todo saber que en el momento máximo de la pintura sobre cerámica —el otro aspecto cumbre del arte ibérico—, la gran escultura había ya desaparecido. Queda, es cierto, la posibilidad que algunas de las figuras de oferentes del Cerro de los Santos sean posteriores a esta fecha. En todo caso se trataría más bien de una excepción, mantenida como consecuencia a la vez del santuario y de la tradición local. Pero hay que confesar que de la cronología de las piezas del Cerro de los Santos sabemos poco en detalle: si un día, después de un estudio definitivo de las fechas de sus esculturas, resultara cierta la teoría de la perduración, no por ello cambiaría la visión de conjunto. Es decir, seguiríamos ignorando la problemática que comporta la decadencia de la escultura ibérica en general.

above all for the sculptures of animals, the «chimeras», lions, bulls, etc., which are dispersed over a wider area than the human figures, and which frequently appear in one and the same place, as solitary pieces or in very small numbers. Why the sculpture in stone should have disappeared so soon, long before the end of Iberian culture, is simply a mystery. Very seldom does an already established art, fulfilling a pronounced social function —in this case religious—, die leaving hardly a trace, while the society that created it continues without essential variations. Today it is clear that the moment of sculpture in stone was the 5th, the 4th and possibly part of the 3rd centuries B.C. And though it is true that around the middle of the 3rd century B.C. there were great upheavals in a large part of the Iberian territory, due to the conquering pressure of the Carthaginians, and that the Romans later seized the country, it is also true that for the moment the Iberian world remained practically intact in its internal structure, according to what can be deduced from the information currently available to us. This is proved by the remaining aspects of their society and their art, as we shall have occasion to see very shortly when we come to speak of the sociological aspects of their painting, and as we have already mentioned in the brief outline of Iberianism in the introduction.

110. Vue de la colline de Sagunto, où exista la ville ibérique.

111. Vase de la localité de San Miguel de Liria, Valencia. Musée de Préhistoire de Valencia.

112. Détail d'un vase peint de la Alcudia d'Elche. Collection Ramos Folques, Elche.

110. *Ansicht vom Cerro de Sagunto, auf dem die iberische Stadt war.*

111. *Vase aus der Siedlung von San Miguel de Liria (Valencia). Museo de Prehistoria. Valencia.*

112. *Detail einer bemalten Vase aus La Alcudia de Elche. Sammlung Ramos Folques. Elche.*

113 a 116. Varios tipos de vasos pintados. Los dos de mayor tamaño corresponden al Tossal de Manises. Museo de Alicante y poblado del Cabezo del Tío Pío de Archena, Murcia. Museo de Arqueología de Barcelona.

117. Gran jarra con decoración geométrica pintada del Tossal de las Tenalles de Sidemunt.

118. Vaso del poblado de San Miguel de Liria. Museo de Prehistoria de Valencia.

113 to 116. Various types of painted vases. The two of greatest size are from El Tossal de Manises. Museum of Alicante and settlement of El Cabezo del Tío Pío. Archena (Murcia). Archaeological Museum of Barcelona.

117. Large jar with painted geometrical decoration, from El Tossal de las Tenalles de Sidemunt.

118. Vase from the settlement of San Miguel de Liria. Prehistory Museum of Valencia.

113

114

115

113 à 116.   Divers types de vases peints. Les deux plus grands correspondent
au Tossal de Manises. Musée d'Alicante et localité du Cabezo del Tío
Pío d'Archena, Murcie. Musée d'Archéologie de Barcelone.

117.   Grande jarre avec décoration géométrique peinte du Tossal de las Tenalles de Sidemunt.

118.   Vase de la localité de San Miguel de Liria. Musée de Préhistoire de
Valencia.

*113 bis 116.   Verschiedene Arten bemalter Vasen. Die beiden grösseren stammen
aus Tossal de Manises, im Museum von Alicante. Die anderen kommen
aus der Siedlung von Cabezo del Tío Pío de Archena (Murcia). Museo
de Arqueología. Barcelona.*

*117.   Grosser Krug mit gemalter geometrischer Dekoration aus Tossal de las
Tenalles de Sidemunt.*

*118.   Vase aus der Siedlung von San Miguel de Liria. Museo de Prehistoria.
Valencia.*

116

117

118

119. Pieza de orfebrería del tesoro de Tivisa.   *119.   Piece of metalwork from the treasure of Tivisa.*

119

dirigeantes, politiques ou sacerdotales? Nous n'en savons rien. Le fait est que lorsque la civilisation ibérique, après la grande crise de la deuxième guerre punique, continue à se développer pendant deux cents ans encore sous la domination politique romaine, elle ne produit déjà plus de sculpture monumentale en pierre.

Socialement, la peinture présente un caractère très distinct. Nous parlons, naturellement, de la peinture sur céramique, la seule que nous connaissions, sauf de rares exceptions, mais qui fut presque certainement la seule à être réellement produite en quantité considérable. Etant donné le caractère primaire de l'architecture ibérique et l'absence de grands monuments, on peut supposer que le phénomène signalé à propos de la sculpture, c'est-à-dire le manque de réalisations sculptées en fonction de l'architecture, se répète pour la peinture. En marge de l'hypothétique peinture murale et de la céramique décorée, il ne reste que le domaine de la peinture appliquée à des pièces meubles, dont nous pouvons donner comme exemples les urnes funéraires en pierre provenant de la nécropole de Galera, et qui s'appliqua peut-être à d'autres éléments en bois plus ou moins semblables, qui peuvent avoir disparu.

im allgemeinen, weiterhin unbekannt bleiben wird.

Dieser Verfall kann aber auf keinen Fall mit einer stilistischen Erschöpfung in Verbindung gebracht werden. Ganz im Gegenteil. Die iberische Bildhauerkunst wies niemals Zeichen der Ermüdung auf; es gab kein Anzeichen dafür, dass sich bald der Untergang einstellen würde. Der beste Beweis ist der, dass, wenn man irgend eine Skulptur betrachtet, man aus dem Stil nicht schliessen kann ob es sich um ein Werk aus der Endzeit handelt oder nicht, weil immer die bestimmten Merkmale fehlen, die sich einschleichen wenn ein Kunstzyklus sich dem Ende neigt. Als diese Endphase hätte eintreten müssen, behaute man schon längst nicht mehr den Stein. Es handelt sich also, zweifellos, um einen von aussen kommenden Verfall, der verhinderte, dass sich der Kreis, der sonst die letzte Epoche einer jeweiligen Kunstrichtung bestimmt, schloss. Es waren soziale Ursachen, die diese urwüchsige Kundgebung beendeten. Waren es die Folgen kriegerischer Erschütterungen? Oder Strukturänderungen in den führenden Kasten, der politischen oder der priesterlichen? Man weiss es nicht. Tatsache ist, dass, als die iberische Kultur nach der grossen Krise des zweiten punischen Krieges, unter der politischen Herrschaft der Römer, noch weitere zwei Jahrhunderte

Decadencia que no puede ligarse a agotamiento estilístico. Todo lo contrario. La escultura ibérica no había manifestado el menor síntoma de cansancio, ningún indicio que hiciera presagiar un próximo hundimiento. La mejor prueba consiste en observar que, ante una escultura cualquiera no es posible determinar, por su estilo, si se trata de una producción del período final, porque faltan las características determinantes de los finales del ciclo artístico. Cuando debía de haberse producido la fase final, ya no se esculpía.

Se trata, pues, sin ninguna clase de dudas, de una muerte venida desde fuera, que impidió que se cerrara la curva que determina las épocas postreras de las series artísticas. Fueron causas sociales las que acabaron con esta original manifestación. ¿Consecuencias de la convulsión bélica? ¿Un cambio de estructura de las castas dirigentes, políticas o sacerdotales? No lo sabemos. El caso es que cuando la civilización ibérica, después de la gran crisis de la segunda guerra púnica, se desenvuelve todavía durante doscientos años bajo el dominio político romano, ya no produce escultura monumental en piedra.

La pintura presenta socialmente un carácter muy distinto. Nos referimos, claro está, a

We should not be surprised, therefore, that the dates of this sculpture should have been the subject of great arguments among the specialists. Only since it has been possible to make use of archeological evidence based on sound stratigraphy have we been able to know with any certainty the date of its beginnings and, above all, to know that at the height of the painting on ceramic —the other outstanding feature of Iberian art— the great sculpture had already disappeared.

It is still possible, certainly, that some of the figures of persons offering gifts in the «Hill of the Saints» are of later date. But at all events this would be more likely to be an exception, a custom maintained in consequence both of the sanctuary and of local tradition. But it must be confessed that of the chronology of the pieces from the «Hill of the Saints» little is known in detail: if one day, after a definitive study of these sculptures and their dates, the theory of this later survival should prove to be true, this still would not change the vision of the whole. By this I mean that we should still be in ignorance of the problems inherent in the decadence of Iberian sculpture in general.

This decadence is one that cannot be explained by any kind of exhaustion of style; quite the

Normalement, la céramique peinte a toujours été une activité artisanale, même dans les pays où elle a atteint la plus grande qualité, en Grèce et plus concrètement dans l'Athènes de l'époque des récipients à figures noires et rouges. Il ne convient pas de se laisser entraîner par des préjugés dérivés des critères esthétisants des deux ou trois derniers siècles: la tradition humaniste, le muséisme et le collectionnisme nous présentent les vases grecs peints comme de précieuses œuvres d'art; ils le sont, réellement, mais pour leurs contemporains ils ne furent rien d'autre que des ustensiles domestiques que pouvaient acquérir à des prix très abordables non seulement la société urbaine grecque en plein développement économique, très avancée déjà dans le cycle de l'économie monétaire, mais aussi les *barbares* de la périphérie méditerranéenne, comme le démontre la grande quantité d'importations retrouvées sur toutes les terres étrangères où parvint le commerce grec. S'il en était ainsi pour les poteries athéniennes ou grecques en général, à plus forte raison pouvons-nous appliquer le même critère aux productions de terre cuite ibériques, décorées de peintures.

Il n'existe pas que des raisons logiques, de l'ordre de celle que nous venons d'exposer.

fortbesteht, keine grossen Steinskulpturen mehr angefertigt werden.

Dagegen weist die Malerei vom sozialen Standpunkt aus, ganz andere Merkmale auf. Selbstverständlich ist hiermit die Malerei auf den Gefässen, also die Keramikmalerei gemeint, die einzige, die mit wenigen Ausnahmen bekannt geworden ist, die aber sicherlich auch die einzige war, die in grossen Mengen hergestellt wurde. Angesichts des primitiven Charakters der iberischen Baukunst, des Fehlens jeglicher grosser Denkmäler, ist anzunehmen, dass das, was wir soeben in Bezug auf die Bildhauerei geschildert haben, auch auf die Malerei bezogen werden kann, gerade weil sie im Zusammenhang mit der Baukunst nicht benötigt wurde, da keine grossen Bauwerke vorhanden waren. Am Rande der hypothetischen Wandmalerei und der dekorierten Keramik, bleibt für die Malerei an sich nur das Gebiet der beweglichen Güter, als deren Beispiel man eventuell die Graburnen aus Stein anführen kann, die in der Nekropolis von Galera gefunden wurden. Des weiteren könnte sie vielleicht noch auf mehr oder weniger ähnliche Gegenstände aus Holz erstreckt werden, die heute nicht mehr vorhanden sind.

Normalerweise war die bemalte Keramik immer eine kunsthandwerkliche Tätigkeit gewesen, selbst

120. Anverso de una moneda de la ceca de Beligión (Aragón).
121. Anverso de una moneda de la ceca de Undikesken (Ampurias). Gabinete Numismático de Cataluña, Barcelona.
122. Anverso de una moneda ibérica. Gabinete Numismático de Cataluña, Barcelona.

120. *Obverse of a coin from the mint of Beligión (Aragon).*
121. *Obverse of a coin from the mint of Undikesken (Ampurias). Numismatic Collection of Catalonia, Barcelona.*
122. *Obverse of an Iberian coin, Numismatic Collection of Catalonia, Barcelona.*

120

121

contrary in fact. Iberian sculpture had not shown the least symptom of weariness, the slightest sign presaging the approaching collapse. Our best proof of this lies in the fact that when we look at any of the sculptures we cannot determine, from its style, whether it belongs to the final period, for we do not know the determining characteristics of the end of the artistic cycle. When the final phase came, sculpture was no longer produced.

Here we are faced, beyond all doubt, with a death which came from outside, one which prevented the closing of the curve which determines the last years of all artistic cycles. The causes which brought this original manifestation to an end were social. Consequences of the convulsions of war? A change in the structure of the governing, political or priestly castes? We do not know. All we know is that though Iberian civilization, after the great crisis of the second Punic War, continued to develop for two hundred years under the political domination of Rome, monumental sculpture in stone was no longer practised.

Painting, in the social sense, is of a very different character. We refer, of course, to painting on jars, ceramic painting, the only form we know except for very rare exceptions, but almost

120. Avers d'une monnaie de Religión (Aragón).

121. Avers d'une monnaie d'Undikesken (Ampurias). Cabinet Numismatique de Catalogne, Barcelone.

122. Avers d'une monnaie ibérique. Cabinet Numismatique de Catalogne, Barcelone.

120. *Vorderseite einer Münze aus der Ceca de Beligión (Aragón).*

121. *Vorderseite einer Münze aus der Ceca de Undikesken (Ampurias). Gabinete Numismático de Cataluña. Barcelona.*

122. *Vorderseite einer iberischen Münze. Gabinete Numismático de Cataluña. Barcelona.*

122

la pintura sobre vasijas, a la pintura cerámica, la única que conocemos salvo contadas excepciones, pero que fue casi con seguridad la única que realmente se produjo en cantidad considerable. Dado el carácter primario de la arquitectura ibérica, su falta de grandes monumentos, es de suponer que el mismo fenómeno que acabamos de señalar en relación con la escultura, es decir, la falta de creaciones escultóricas realizadas en función de la arquitectura, se diera también con la pintura. Quedan, al margen de la hipotética pintura mural y de la cerámica decorada, solamente el campo de la pintura aplicada a piezas muebles, de la que podemos tomar como ejemplo las urnas funerarias de piedra procedentes de la necrópolis de Galera y que quizás se extendía a otros elementos más o menos similares en madera que pueden haber desaparecido.

Normalmente, la cerámica pintada ha sido siempre actividad artesana. Incluso en los países en que ha alcanzado las mayores calidades, en Grecia y concretamente en la Atenas de la época de los vasos de figuras negras y de figuras rojas. No conviene dejarse llevar por prejuicios derivados de los criterios estetizantes de los dos o tres últimos siglos: la tradición humanística, el

certainly the only form which was really produced in any considerable quantity. Bearing in mind the primary character of Iberian architecture and its lack of great monuments, we may suppose that the same phenomenon we have just pointed out with regard to sculpture (i.e., the absence of sculptural creations carried out in conjunction with architectural work) also occurred in the case of painting. If we except the hypothetical mural paintings and the decorated ceramics, all that remains is the field of painting applied to movable pieces, as examples of which we may cite the stone funerary urns of the necropolis of Galera, though perhaps this painting came to include other more or less similar specimens in wood, which may have disappeared.

As a normal rule, painting on ceramics has always been a craftsman's activity, even in those countries in which it has attained the highest level of quality, in Greece, for instance, to be more precise in Athens in the period of the vases with red and black figures. We should not let ourselves be carried away by prejudices deriving from the aesthetic criteria of the last two or three centuries; the humanistic tradition, together with the influence of museums and collectors, makes us see the painted vases of Greece as precious works of art, as indeed they are. But for the people of the time they were

Lorsqu'au cours des excavations réalisées dans les villages ibériques nous revivons au travers de la situation des objets trouvés le ménage de chacune des maisons, nous constatons que les vases peints sont disséminés partout. Il s'agit donc de quelque chose que l'on utilisait couramment, à des fins utilitaires, et jamais de pièces destinées seulement à des classes supérieures, sinon qu'elles appartenaient à toutes ou presque toutes les couches sociales. Si nous laissons de côté la vaisselle utilisée à la cuisine, presque tous les autres récipients des maisons étaient peints dans les divers styles suivis successivement, selon l'époque et la géographie. Même les grandes urnes du village de Sant Miguel de Liria, qui montrent les scènes les plus fameuses de la peinture ibérique, furent à l'époque des pièces fonctionnelles utilisées dans les foyers pour contenir des liquides, probablement de l'eau.

Le caractère d'art populaire que nous lui attribuons se confirme si, après avoir pensé au consommateur, à l'usage qu'on en faisait, nous considérons son développement créateur. Naturellement, nous employons le terme *art populaire* non pas dans le sens d'une activité non professionnelle exercée par des gens non spécialisés, mais dans celui d'une produc-

in den Ländern wo sie zu höchster Vollendung gebracht wurde wie in Griechenland — und hier ganz besonders in Athen, aus der Zeit der Vasen und Krüge mit schwarzen und roten Figuren darauf. Man darf sich nicht von den kunsthistorischen Vorurteilen in den Meinungen der letzten zwei bis drei Jahrhunderte verleiten lassen: die humanistische Tradition, der Sammlereifer und die Museen stellen uns diese bemalten Vasen und Gefässe als prächtige und wertvolle Kunstwerke dar, die sie in der Tat auch sind.

Aber für ihre damaligen Zeitgenossen waren sie nichts anderes als gewöhnliche Gebrauchsgegenstände im Haushalt, die man zu ganz erschwinglichen Preisen erstehen konnte, nicht nur von der wohlhabenden grossen Gesellschaft der griechischen Städte, die sich in voller wirtschaftlicher Entwicklung befand und mitten im Zyklus der Geldwirtschaft stand, sondern auch von den sogenannten «Barbaren», die am Rande des Mittelmeeres wohnten, wie dies auch die grosse Menge der importierten Gegenstände beweist und in allen Ländern von dem regen griechischen Handel kündet. Wenn dies schon mit den griechischen und athenischen Gefässen im allgemeinen geschah, so kann man die gleiche Meinung mit noch mehr Recht auf die iberische Keramik und Töpfergegenstände anwenden, die mit Maldekoration versehen waren.

tion destinée à presque tout le monde, au grand cercle des paysans qui formaient la plus grande partie de la société ibérique des territoires déjà signalés de l'Est de la Péninsule.

La tentation de décorer les surfaces lisses et uniformes des poteries sorties du tour se manifeste presque partout, indéfectiblement, dès que s'impose dans la poterie la technique du tour rapide. Simultanément, la céramique au tour se convertit en une industrie, d'un caractère aussi limité et artisanal qu'on le voudra, mais œuvre d'atelier tout de même, en contraste avec l'époque précédente de la poterie à la main, lorsqu'elle était exclusivement ou presque un travail réalisé chez elles par les femmes, depuis que dans les primitives civilisations paysannes —néolithiques— on eut découvert et généralisé l'emploi de récipients de terre. Le tour amena une centralisation de la production qui ne se connaissait pas auparavant, d'où la tendance à uniformiser les modèles et les motifs décoratifs. C'est en somme la naissance de l'atelier de poterie.

Au début, et pendant au moins deux cents ans, la décoration picturale se limita à la géométrie, réduite le plus souvent à de simples

Es sind nicht nur logische Folgerungen, die wir hier dargestellt haben. Wenn in den iberischen Siedlungen ausgegraben wird, so ersteht unter den Funden nacheinander die gesamte Einrichtung einer jeden Wohnung und man erlebt, dass diese bemalten Gefässe überall vorhanden sind. Es handelt sich also um etwas das überall benötigt und gebraucht wurde und nicht nur um einzelne Stücke, die für eine besondere Gesellschaftsschicht bestimmt waren. Wenn man von den Küchengefässen absieht, so sind die anderen im Hause verteilten Gefässe, Krüge, Vasen usw., in den verschiedensten Stilen bemalt, je nach dem Zeitalter und der geographischen Lage der Siedlung.

Selbst die grossen Urnen aus der Siedlung von San Miguel de Liria, die mit den berühmtesten Szenen der iberischen Malerei versehen sind, waren einst Gebrauchsgegenstände, die im Haushalt zur Aufbewahrung von Flüssigkeiten —wahrscheinlich Wasser— gedient haben.

Wenn wir nun, nachdem wir dem Verbraucher und dem Verwendungszweck Rechnung getragen haben, den Herstellungsprozess dieser Gegenstände betrachten, dann finden wir den ihnen zugeschriebenen volkstümlichen Charakter vollauf bestätigt. Mit dem Begriff der Volkskunst soll, wohlverstanden, nicht gemeint sein, dass

museísmo y el coleccionismo nos hace ver los vasos pintados griegos como preciosas obras de arte, y en realidad lo son. Pero para sus contemporáneos no pasaban de objetos del ajuar doméstico que se podían adquirir a precios muy asequibles, no sólo entre la sociedad urbana griega en pleno desarrollo económico, bien adentrada ya en el ciclo de la economía monetaria, sino incluso para los *bárbaros* de la periferia mediterránea, como se demuestra por la gran cantidad de importaciones que se hallan en todos los territorios extranjeros a los que llegó el comercio helénico. Si sucedía así con las vasijas atenienses o griegas en general, con más razón podemos aplicar el mismo criterio a las producciones alfareras ibéricas decoradas con pinturas.

No son sólo razones lógicas, del orden de la acabada de exponer. Cuando al excavar los poblados ibéricos revivimos a través de la situación de los hallazgos el ajuar de cada una de sus viviendas, podemos observar cómo las vasijas pintadas se encuentran repartidas por doquier. Se trata, pues, de algo que se usaba corrientemente, para fines utilitarios y nunca de piezas destinadas sólo a las clases altas, sino que eran propiedad de todos o casi todos los estratos de la sociedad. Si dejamos de lado la vajilla destinada a usos culinarios, casi

no more than ordinary household articles, which could be purchased at very reasonable prices, not only by the members of Greek urban society at the height of its economic development, which had long since entered the cycle of monetary economy, but even by the barbarians *of the Mediterranean periphery, as can be seen from the numerous importations to be found in all the foreign territories reached by Hellenic commerce. If this was the case with Athenian vases, or with those of Greece in general, we have all the more reason to apply the same criterion to the productions of the Iberian potters with painted decoration.*

Not all the reasons are logical, like the one just now expounded. When we excavate the Iberian settlements and the situation of the different finds reveals the household equipment of each dwelling, we can see how the painted jars are to be found everywhere. We are dealing, then, with things used every day, intended for utilitarian ends, never with pieces for the sole use of the upper classes, but rather objects which were the property of all, or almost all, strata of society. If we except the pottery intended for the kitchen, almost all the jars we still have from Iberian houses were painted in the various styles employed according to period and geographical location. Even the great urns from

bandes horizontales. C'est du plus simple techniquement, puisque tout consiste à maintenir immobile un pinceau imbibé de couleur pendant que la pièce tourne sur le tour. Mais alors que dans d'autres ambiances plus ou moins contemporaines —les phéniciens et les carthaginois par exemple— on n'alla pas plus loin, les potiers ibériques ne se limitèrent pas à un schéma aussi simple; ainsi surgit la décoration géométrique combinée à des motifs floraux et zoomorphes. Puis apparaît la figure humaine, généralement sous forme de scènes de caractère narratif.

Occupons-nous maintenant de cette phase avancée que représente le grand moment de la peinture ibérique. Comme nous l'avons déjà indiqué, cette évolution ne se produit que sur les territoires de Valencia et de Murcia, d'une manière totale, plus sporadiquement en Aragón, dans la partie centrale de la vallée de l'Ebre, et très peu en Catalogne.

Dès le début de l'étude systématique de la céramique ibérique, on vit clairement que dans la peinture la plus évoluée ou la plus riche en thèmes il fallait séparer deux styles qui, d'après les lieux de leur découverte, furent appelés d'Elche-Archena et d'Oliva-Liria. Le premier style se caractérise par une

es sich um eine nichtberufliche Tätigkeit handelt, die von nicht fachlich ausgebildeten Leuten ausgeführt wurde, sondern man will damit sagen, dass es sich um Erzeugnisse handelt, die den meisten Leuten, also der breiten Masse der Landbevölkerung zugänglich gemacht wurden, die ja auch den grössten Teil der iberischen Gesellschaft in den bezeichneten Gebieten der östlichen Halbinsel bildete.

Die glatten und eintönigen Flächen der aus der Töpferei kommenden Gefässe verleiten geradezu diese zu dekorieren und daher vollzieht sich diese auch überall, sobald sich die Technik der Schnelldrehscheibe in der Töpferei eingeführt hatte. Die gedrehte Keramik bildet sich nun als Industrie aus, zwar so beschränkt und kunstgewerblich wie man will, aber doch in einer Werkstatt gefertigt, zum Gegensatz zu den früheren Epochen in denen die Keramik nur Handarbeit war und fast ausschliesslich in Heimarbeit von Frauen angefertigt wurde, seit die primitiven Landkulturen —im Neolithikum— den Gebrauch von Tongefässen entdeckten und verallgemeinerten. Die Einführung der Töpferdrehscheibe zentralisierte nun die Produktion, die bisher unbekannt war und daher neigte man dann dazu, die Formen und die Dekorationsmotive zu vereinheitlichen. So entstand dann auch die Töpferwerkstatt.

todo el resto de las vasijas de las casas están pintadas en los distintos estilos que según el tiempo y la geografía fueron utilizados. Incluso las grandes urnas del poblado de San Miguel de Liria, que contienen las escenas más famosas de la pintura ibérica, fueron en sus días piezas funcionales, que se utilizaban en el hogar para guardar líquidos, posiblemente agua.

Si después de pensar en el consumidor, en la utilización, consideramos su proceso creador, se confirma el carácter de arte popular que le venimos atribuyendo. Bien entendido, utilizamos el concepto de *arte popular* no en el sentido de una actividad no profesional practicada por gentes no especialistas, sino en el sentido de que se trata de una producción dirigida a la mayoría de las gentes, al amplio círculo de los campesinos que formaban la mayor parte de la sociedad ibérica en los señalados territorios del Este de la Península.

La tentación de decorar las superficies lisas y uniformes de las vasijas salidas del torno se produce casi indefectiblemente en todas partes, así que se impone en la alfarería la técnica del torno rápido. Al mismo tiempo la cerámica a torno pasa a ser una industria, con todo el carácter limitado y artesano que

the settlement of San Miguel de Liria, which contain the most famous of all the scenes of Iberian painting, were just functional articles in their own day, used in the home for holding liquids, probably water.

If, after thinking of the consumer and the "end-uses", we consider the creative process, we shall see the confirmation of this character of popular art that we have spoken of. We should, of course, point out that when we use the expression popular art *we are not referring to a non-professional activity intended for the layman, but rather to a production that is aimed at the masses, at the far-reaching range of country-dwellers who formed the majority of Iberian society in the territories we have spoken of in the east of the peninsula.*

The temptation to decorate the smooth and uniform surfaces of the pots just off the wheel is one which occurs almost invariably everywhere, and so pottery has been ever subject to the technique of the hurrying wheel. At the same time this wheel-pottery becomes an industry; as limited and craftsmanlike as one might wish, but still the obvious product of a studio, unlike the products of the preceding period of handmade pottery, when this was exclusively, or almost so, a job to be done by women in their

plus grande finesse d'exécution, par l'organisation plus rigide de la composition; il combine des thèmes d'animaux, qui surgissent sans doute d'un tréfonds religieux —déesses ailées, monstres carnivores, aigles traités avec une raideur presque héraldique— et des éléments de type végétal et géométrique, sans que la figure humaine apparaisse à peine.

Ce qu'il y a de plus caractéristique dans le style du groupe Oliva-Liria a été fixé dans les grandes frises narratives à scènes humaines qui couvrent souvent toute la surface du vase et sont parfois accompagnées d'inscriptions qui n'ont pu être traduites mais qui font sans doute allusion aux scènes auxquelles elles sont mêlées, ou les expliquent.

De nouvelles découvertes ont élargi l'aire géographique de chacun des styles, surtout en ce qui concerne le second. Dans ses lignes générales, la distinction reste cependant valable.

On n'a pas essayé d'expliquer le tréfonds social que l'un et l'autre peuvent avoir et que nous relions, quant à nous, aux différences de niveau socio-économique entre les groupes méridionaux —dont le type est représenté

Zu Anfang und mindestens zwei Jahrhunderte lang, beschränkte sich die Malerei auf den Keramiken auf geometrische Formen, meistens einfache waagerechte Streifen. Technisch gesehen ist es von grösster Einfachheit, denn man braucht dazu nur den befeuchteten Pinsel unbeweglich an die rasch drehende Scheibe mit dem Gefäss zu halten. Doch wie dies unter den anderen zeitgenössischen Völkern üblich wurde —bei den Phöniziern und Karthagern, z.B.— begnügten sich die Iberer nicht mit diesem einfachen Stil und so entstand die geometrische Dekoration, die dann noch mit anderen Blumen- und Tiermotiven verbunden wurde.

Schliesslich kam noch die menschliche Figur dazu, die meistens in darstellenden Szenen aufgebracht wird.

Dieser fortgeschrittenen Phase, die den Höhepunkt der iberischen Malerei bildet, wollen wir uns im Folgenden widmen. Wie schon vorausgeschickt wurde, vollzieht sich diese Entwicklung nur in den Gebieten von Valencia und Murcia vollkommen, etwas sporadischer in Aragonien —vor allem im mittleren Ebro-Tal— und in ganz kleinem Masse in Katalonien.

Seitdem die Prüfung der iberischen Keramiken ganz systematisch durchgeführt wird, hat man

se quiera, pero obra de taller al fin y al cabo en contraposición a la época anterior de la cerámica a mano, cuando era exclusivamente o casi exclusivamente tarea que realizaban las mujeres en sus casas respectivas desde que, en las primitivas civilizaciones de campesinos —neolíticas—, se había descubierto y generalizado el uso de vasijas de barro. El torno creó una centración de producción que antes se desconocía y de ahí la tendencia a unificar las formas y los motivos decorativos. En suma, nace el taller alfarero.

En principio, y durante por lo menos doscientos años, la decoración pictórica se limitó a lo geométrico, en la mayoría de los casos reducida a simples bandas horizontales. Técnicamente es de la mayor simplicidad, ya que todo consiste en mantener inmóvil un pincel empapado mientras la pieza gira en el torno. Pero así como en otros ambientes más o menos contemporáneos —caso de los fenicios, de los cartagineses, por ejemplo— apenas se pasó de ahí, los alfareros ibéricos no quisieron abandonarse a un esquema tan simple, y surgió la decoración geométrica combinada con motivos florales y zoomorfos. Finalmente aparece la figura humana, por lo común formando escenas de carácter narrativo.

houses, ever since the use of clay jars had been discovered and generalized in the earliest —neolithic— peasant civilizations. The wheel created a concentration of production so far unknown, whence the tendency to unification of forms and decorative motifs. In short, we see the birth of the potter's workshop.

At the beginning, and for at least two hundred years thereafter, pictorial decoration was limited to the geometric, in most cases reduced to simple horizontal bands. Technically, this is quite simple, for the whole consists in keeping a wetted pencil still, while the piece rotates around it. Nevertheless, while in other more or less contemporary societies —the Phoenicians or the Carthaginians, for instance— these geometrical limits were hardly passed, the Iberian potters refused to defer to such a simple scheme, and thus there arose the geometrical decoration combined with floral and zoömorphic motifs. Finally the human figure appears, generally forming part of scenes of a narrative character.

It is of this advanced stage, which represents the height of Iberian painting, that we are now going to speak. As we have already said, this evolution reached its full maturity only in the regions of Valencia and Murcia, more sporadic examples being found in Aragon, in the middle

par Elche— et ceux qui se situent plus au nord et dont l'échantillon le plus caractéristique est Liria.

Dans le cas d'Elche, nous nous trouvons en présence d'une vraie cité, établie dans une plaine très fertile, face à la mer, avec des communications maritimes et terrestres faciles. Il dut y exister une authentique société urbaine, d'une structure interne relativement complexe, mais d'autre part bien plus libre que dans les cités andalouses où la monarchie et l'aristocratie exerçaient sans doute une force absorbante sur le reste de la population. Une telle société demandait une peinture élégante, tendant au raffinement, contenue dans son expression, une peinture que nous pourrions, en exagérant un peu, appeler «bourgeoise», si ce mot, appliqué à la société ibérique, peut avoir un sens précis.

La tumultueuse apparition de la figure humaine en des scènes ne se toléra pas, et c'est seulement vers la fin, lorsque les influences romaines commencèrent à désarticuler le sens profond de la société et par conséquent de l'art ibérique, que nous voyons apparaître les premiers exemples de figures humaines, tel le visage vu de face du vase de «La Pepona» d'Elche.

eindeutig feststellen können, dass sich in der am meisten entwickelten Malerei, also der an Themen reichsten, zwei Stile ganz besonders hervorheben —die man dann, nach ihren Fundstätten, mit Elche-Archena und Oliva-Liria, bezeichnete. Die erste dieser beiden Stilrichtungen zeichnet sich durch eine grössere Zartheit in der Ausführung aus, durch eine strengere Zusammensetzung der Themen, indem man Tiermotive, die wahrscheinlich auf einem religiösen Grund ruhen —geflügelte Göttinnen, Raubtiere, Adler mit ausgebreiteten Schwingen, die mit fast heraldischer Strenge dargestellt sind— mit Pflanzenmotiven und geometrischen Formen kombiniert, ohne dass die menschliche Figur hier in Erscheinung tritt.

Die stilistischen Merkmale der Gruppe aus Oliva-Liria dagegen, sind die der grossen Bildfriesen, in denen menschliche Szenen dargestellt werden und die oft die ganze Fläche des Bechers ausfüllen; dazu noch Inschriften aufweisen, die bisher nicht übersetzt werden konnten, sich aber sicherlich auf die dargestellten Szenen beziehen, mit denen sie vermischt sind. Neue Entdeckungen haben das geografische Gebiet der beiden Stilrichtungen erheblich erweitert, besonders was den zweiten Stil betrifft. Trotzdem bleibt der Unterschied zwischen den beiden, im allgemeinen, bestehen.

124. Cabeza de león. Escultura en piedra. Museo de Córdoba.

124. Head of a lion. Sculpture in stone. Museum of Cordova.

124. Tête de lion. Sculpture de pierre. Musée de Cordoue.

124. Löwenkopf. Steinskulptur. Museum von Córdoba.

A esta fase avanzada, que representa el gran momento de la pintura ibérica, nos vamos a referir ahora. Como se indicó previamente, esta evolución se produce sólo en los territorios de Valencia y Murcia de manera plena, más esporádicamente en Aragón, en la parte central del Valle del Ebro y muy poco en Cataluña.

Desde el principio del estudio sistemático de la cerámica ibérica se vio claramente que dentro de la pintura más evolucionada o más rica en temas, cabía distinguir dos estilos, que por sus respectivos lugares de hallazgo fueron denominados de Elche-Archena y de Oliva-Liria. El primero se caracteriza por una mayor fineza de ejecución, por la organización más rígida de la composición, combinando temas de animales, que surgen sin duda de un trasfondo religioso —diosas aladas, monstruosos carnívoros, águilas explayadas tratadas con rigidez casi heráldica— con elementos de tipo vegetal y geométrico, sin que aparezca apenas la figura humana.

Lo característico del estilo del grupo Oliva-Liria se fijó en los grandes frisos narrativos con escenas humanas, que llenan a menudo toda la superficie del vaso, y que pueden ir acompañados de inscripciones que no se han

part of the valley of the Ebro and (on a very small scale) in Catalonia.

Ever since the systematic study of Iberian ceramics began, it has been clear to see that, within such painting as is more fully developed or richer in subject matter, two styles can be distinguished: from the places where they were discovered, these have received the names of «Elche-Archena» and «Oliva-Liria». The first is characterized by greater finesse in execution and a stricter arrangement of the composition, combining animal subjects, with an undoubtedly religious intention (winged goddesses, carnivorous monsters, eagles with outspread wings, represented almost heraldically), with vegetable and geometric motifs, but with hardly any appearance of the human form.

The characteristic style of the Oliva-Liria group is to be found in the great narrative friezes, with scenes of humans, which often fill the whole surface of the vase, and which may be accompanied by inscriptions that it has not been possible to translate, but which undoubtedly refer to, and explain, the scenes to which they are appended.

Recent discoveries have widened the geographical area of each of the two styles, above all as

podido traducir, pero que sin duda aluden y explican las escenas con las que se mezclan.

Nuevos descubrimientos han ampliado el área geográfica de cada uno de los estilos, sobre todo por lo que respecta al segundo. Pero lo cierto es que en sus líneas generales, la distinción sigue válida.

Lo que no se ha intentado explicar es el trasfondo social que puede tener cada uno de ellos, y que nosotros ponemos en relación con las diferencias de nivel socioeconómico entre los grupos meridionales—que podemos tipificar en Elche— y los más al norte, cuyo ejemplo más característico es Liria.

En el caso de Elche estamos frente a una verdadera ciudad, establecida en un llano muy fértil, frente al mar, con comunicaciones fáciles, tanto marítimas como terrestres. Allí debió existir una auténtica sociedad urbana, con estructura interna relativamente compleja, pero por otra parte mucho más libre que en las ciudades andaluzas donde la monarquía y la aristocracia pesaban sin duda con fuerza absorbente sobre el resto de la población. Tal sociedad pedía una pintura elegante, que tendiera al refinamiento, contenida en su expresión, una pintura que exagerando el

regards the second. But we can be sure that in a general way this distinction is still valid.

What nobody has attempted to explain is the social background implied in each of these styles; this is something we can attribute to the socio-economic differences between the southern groups —those of Elche as we might say— and those further north, the most characteristic of which is the work found in Liria.

In the case of Elche we find ourselves faced with a real city, lying on a very fertile plain and facing the sea, easy of access whether by land or by sea. A genuine urban society must have existed there, with a relatively complex internal structure, though nevertheless much freer than those Andalusian cities where both monarchy and aristocracy undoubtedly weighed heavily on the rest of the population. Such a society wanted elegant painting, restrained in expression, the kind of painting which, a little exaggeratedly, we might call bourgeois, if such a word had any exact meaning for Iberian society. The tumultuous apparition of human figures was not to be tolerated, and it is only very near the end, when the influence of Rome was beginning to break up the deeper sense of Iberian society, and therefore of its art, that we see the first examples of human figures, like

Le cas des noyaux ibériques situés plus au nord était différent. Le monde rural y prédominait. Nous pouvons à peine parler de véritables cités, mais si de villages juchés sur des hauteurs faciles à défendre, et généralement situés plutôt vers l'intérieur que sur la ligne côtière. Ces régions manifestement paysannes, sans à peine de structures urbaines complexes, présentent une peinture d'origine beaucoup plus populaire et créent un art au fond typiquement campagnard. Une distinction basée sur ce genre de facteurs paraît beaucoup plus correcte que si elle l'était sur des divisions tribales. La preuve, c'est qu'Elche et La Serrata de Alcoy appartiennent toutes deux à un même groupe (celui des *contestans*) et que par contre le style pictorique de La Serreta est étroitement lié à celui de Liria, l'ancienne Edeta, capitale des *edetans*. Il en est de même pour Oliva, qui, située au sud du fleuve Júcar, devait aussi appartenir au groupe *contestan*, malgré les évidentes similitudes stylistiques avec la Liria des *edetans*.

Pouvons-nous inclure dans cet essai le cas de Sagunto? C'est très aventureux, car nous possédons bien peu de vestiges de ce qui fut une fameuse cité ibérique. Nous pourrions penser, surtout en raison de sa situation,

Man hat aber nicht den Versuch gemacht, den sozialen Hintergrund den diese beiden Stilrichtungen haben könnten, zu erklären, den wir aber mit dem verschiedenen sozialwirtschaftlichen Niveau zwischen der südlichen Gruppe — die wir bei und um Elche festlegen können — und der nördlichen Gruppe, deren charakteristisches Beispiel Liria ist, in Verbindung bringen.

Im Fall Elche, hat man es mit einer richtigen Stadt zu tun, die in einer fruchtbaren Ebene, in der Nähe des Meeres, aufgebaut ist und gute See- und Landverbindungen hat. Dort muss es seiner Zeit eine richtige städtische Bevölkerung gegeben haben, die wahrscheinlich auch eine verzwickte interne Verwaltungsstruktur besass, andrerseits aber sicherlich viel freier war als die der andalusischen Städte, wo gegenüber der restlichen Bevölkerung, die absorbierende Kraft der Monarchie und der Aristokratie herrschte. Diese Gesellschaftsschicht verlangte eine elegante, verfeinerte Ausdruckskraft in der Malerei, eine Malerei, die man im übertriebenen Sinn als bürgerlich bezeichnen könnte, wenn dieses Wort genau auf die iberische Gesellschaft bezogen würde. Diese duldete nicht die aufrührerische Erscheinung der menschlichen Figur in den dargestellten Szenen und erst gegen Ende der Zeit, als der römische Einfluss den Zerfall des tiefen Gefühls der Gesellschaft ein-

125. Toro en piedra, procedente de los alrededores de Sagunto. Museo de Sagunto.

125. *Figure of a bull in stone, from the surroundings of Sagunto. Museum of Sagunto.*

leitete und damit auch den der iberischen Kunst, erscheinen die ersten Beispiele der menschlichen Darstellung, wie das von vorne gesehene Gesicht auf dem Becher der «La Pepona» von Elche.

Ganz anders lag der Fall in den iberischen Zentren des Nordens. Hier herrschte die Landbevölkerung. Es gab keine Städte im eigentlichen Sinne des Wortes, sondern nur Ansiedlungen, die sich der leichteren Verteidigung wegen die Berghänge hochzogen und im allgmeinen, nicht an der Küste sondern mehr im Innern des Landes lagen. Diese offensichtlich ländlichen Gebiete, die kaum eine komplizierte Wohnstruktur aufweisen, betrieben eine Malerei die aufs engste mit dem Volkstum verbunden war, wodurch eine Kunstrichtung entstand, die im Grunde als volkstümlich zu bezeichnen ist. Diese Differenzierung ist viel folgerichtiger als diejenige, die auf dem Faktor der Stämme aufgebaut wird. Den Beweis hierfür haben wir darin, dass Elche und La Serreta in Alcoy beide der gleichen Stammesgruppe angehören, also zu den Kontestanern gehören, wogegen der Malstil aus La Serreta sehr eng mit Liria, der alten Hauptstadt «Edeta» der Edetaner, verbunden ist. Das Gleiche trifft auch für Oliva zu, welches, weil es südlich des Júcar liegt, wie angenommen wird zu den Kontestanern gehörte, obwohl sehr offensichtliche

126. León de piedra procedente de Castro del Río, Córdoba. Museo Arqueológico de Córdoba.

127. Cabeza de leona, procedente de la Alcudia de Elche. Colección Ramos Folques, Elche.

126. *Stone lion, from Castro del Río, Cordova. Archaeological Museum of Cordova.*

127. *Head of a lioness, from La Alcudia de Elche. Ramos Folques Collection, Elche.*

126

126. Lion de pierre provenant de Castro del Río, Cordoue. Musée Archéologique de Cordoue.

127. Tête de lionne, provenant de la Alcudia d'Elche. Collection Ramos Folques, Elche.

126. Löwe aus Stein, stammt aus Castro del Rio (Córdoba). Museo Arqueológico. Córdoba.

127. Kopf einer Löwin, stammt aus La Alcudia de Elche. Sammlung Ramos Folques. Elche.

127

término podríamos llamar burguesa, si la palabra tuviera sentido exacto referida a la sociedad ibérica. La tumultuosa aparición de la figura humana formando escenas no se toleró, y sólo muy al final, cuando la influencia romana comienza a desarticular el sentido profundo de la sociedad, y por lo tanto del arte ibérico, vemos aparecer los primeros ejemplos de figura humana, como la cara de frente del vaso de «La Pepona» de Elche.

Muy distinto era el caso de los núcleos ibéricos de más al norte. Aquí domina el mundo rural. Apenas podemos hablar de verdaderas ciudades, sino de poblados encaramados en altozanos de fácil defensa, por lo general no en la misma línea costera sino hacia el interior. Estas zonas manifiestamente campesinas, sin apenas estructuras urbanas complejas, presentan una pintura con raíces mucho más próximas a lo popular y crean un arte, en el fondo, típicamente campesino. Parece mucho más correcta una distinción basada en este tipo de factores que no en divisiones tribales. La prueba la tenemos en que Elche y La Serreta de Alcoy pertenecen ambas a un mismo grupo, a los contestanos, y en cambio el estilo pictórico de La Serreta está estrechamente vinculado a Liria, la antigua Edeta, capital de los edetanos. Y lo mismo acontece

the face on the front of the vase of «La Pepona», from Elche.

Very different was the case of the Iberian colonies further north. In them the rural world was dominant. We can hardly speak of real towns, but rather of villages huddled on hillsides which were easy to defend, not generally on the coast itself but more inland. These evidently peasant regions, with practically no complex urban structures, present us with a kind of painting much closer to the roots of the countryside, and create something which is, at bottom, genuine folk art. A distinction based on this kind of factor would seem to be more valid than one founded on tribal divisions. One proof of this is that Elche and La Serreta de Alcoy both belong to the same group, to the contestanos, *but the style of painting of La Serreta is closely linked to that of Liria, Edeta as it was then known, the capital of the* edetanos. *Exactly similar is the case of Oliva, which, as it lies south of the Júcar, must be supposed to have belonged to the* contestano *group, in spite of the very evident stylistic parallels with Liria, the* edetano *Liria.*

And should we touch, in this essay, on the case of Sagunto? It is perhaps rather rash, since we have hardly even the bare vestiges of what

qu'elle fut un des plus grands centres urbains des *edetans*, et dans ce cas il serait difficile de la faire entrer dans le schéma d'un monde à prédominance rurale. Si ces prémices étaient certaines, et si le manque de céramiques peintes dans le style narratif ne dépendaient pas de notre pauvreté documentaire, nous pourrions penser qu'elle n'adopta pas ce style précisément parce qu'elle échappait au ruralisme qui déterminait l'art pictural d'autres centres *edetans*.

Quoi qu'il en soit, le processus s'accentue au fur et à mesure que nous pénétrons dans des zones plus éloignées de la mer, c'est-à-dire de la grande voie de civilisation. Ainsi, malgré leur intention et leur style tirés du même courant, les différences de nuance entre la peinture de Liria et celle d'Allorza deviennent notables. L'élégance primaire perçue dans la cité *edetane* se perd en plein Ebre central, remplacée par un expressionnisme rude dont la grâce émane d'une liberté ingénue comparable à celle de l'art enfantin.

On a formulé des théories superficielles sur le baroque de ce style. On n'y a pas perçu ce qui nous semble évident: qu'il se produit de la même manière et pour les mêmes raisons que nous trouvons dans tant d'autres arts

stilistische Parallelen mit der edetanischen Gruppe aus Liria bestehen.

Kann man in dieses Essay noch Sagunto aufnehmen? Das wäre wohl zu gewagt, da von dieser einst sehr berühmten iberischen Stadt kaum Spuren vorgefunden wurden. Allerdings könnte man, vor allem wegen ihrer Lage, annehmen, dass sie eines der Hauptwohnzentren der Edetaner gewesen ist und in diesem Falle würde Sagunto sich schwerlich in das Schema einer überwiegend ländlichen Welt einfügen lassen. Wenn diese Voraussetzungen wahr sind, und der Mangel an bemalten Keramiken dieses erzählenden Stils, nicht auf fehlende Dokumentierung zurückzuführen ist, könnte man meinen, dass es gerade dort nicht diesen Stil gab weil die Stadt Sagunto ausserhalb des ländlichen Bereiches lag, der die Malkunst der anderen edetanischen Zentren bestimmte.

Jedenfalls verstärkt sich dieser Prozess je weiter sich die Zonen vom Meer entfernen, also je abgelegener sie von dem grossen Kulturweg liegen. Daher treten auch, trotz der Absicht den Stil innerhalb der gleichen Strömung zu halten, die grossen Unterschiede in der Nuancierung zwischen der Malkunst von Liria und der von Alloza offensichtlich zutage. Im Bereich des mittleren Ebrogebietes verliert sich bereits die

en el caso de Oliva, que por estar al sur del Júcar hay que suponer que pertenecía también al grupo contestano a pesar de los paralelos estilísticos, bien evidentes, con Liria de los edetanos.

¿Podemos incluir en este ensayo el caso de Sagunto? Es muy aventurado, ya que apenas nos han llegado vestigios de la que fue famosa ciudad ibérica. Podríamos pensar, sobre todo por su situación, que fue uno de los máximos centros urbanos de los edetanos, y será difícil de encajar en este caso en el esquema de un mundo predominantemente rural. Si estas premisas son ciertas, y si la falta de cerámicas pintadas con el estilo narrativo no depende de nuestra pobreza documental, podría pensarse que precisamente no tuvo este estilo por caer fuera del ruralismo que determina el arte pictórico de otros centros edetanos.

En todo caso el proceso se acentúa a medida que se entra en zonas más lejos del mar, es decir, del gran camino de civilización. Y así, a pesar de su intención y de su estilo dentro de una misma corriente, son notables las diferencias de matiz visibles entre la pintura de Liria y la de Alloza. En pleno Ebro central se pierde la elegancia primaria visible en el poblado edetano, y se ve sustituida por un

was once a great Iberian city. We should remember, above all on account of its situation, that it was one of the most important towns of the edetanos, *and it is not an easy task to make it fit into the picture of a predominantly rural society. If these premises are correct, and if the lack of painted ceramics with the narrative style are not simply the result of our own lack of documentation, we may be justified in wondering why this style should not have fallen into that certain rusticism which was the norm in the painting of other centres of the* edetanos.

At all events this process is accentuated as we go further from the sea, i.e., as we go further away from the highroad of civilization. And so, in spite of the intention, in spite of the style conceived within one and the same stream of inspiration, we can hardly fail to notice the differences of nuance between the painting of Liria and that of Alloza. In the heart of the valley of the Ebro we feel a certain loss of that primary elegance we find in the art of the edetanos, *an elegance replaced by a rough kind of expressionism, the only charm of which is that of an ingenuous freedom, rather like that of children's painting.*

Many superficial theories have been advanced regarding the baroque features of this style,

de source sociale paysanne, à travers l'espace et le temps, lorsque cet art a pu se développer en liberté suffisante, hors de l'influence des productions artistiques ou artisanales d'autres groupes sociaux de la cour ou de la ville, depuis les créations populaires slaves des derniers siècles jusqu'au baroque géométrique de la peinture grecque primitive sur céramique. Toutes distances et nuances gardées, comme dans les cas précédents, ne pourrions-nous pas attribuer à la même origine la tendance à l'ensemble narratif des diverses scènes? Qu'est au fond le «relief continu», si typique de la sculpture romaine, sinon l'élévation —raffinée par l'influence hellénique— du goût pour la peinture des évènements, comparable à celle que nous montrent les productions *edetanes*? Nous nous trouvons, ici aussi, en présence d'un peuple —le romain— qui maintint durant des siècles sa mentalité d'origine paysanne.

Nous ne connaissons pas ce type d'art en Andalousie, et il est peu probable que l'on puisse s'attendre à la révélation de nouvelles découvertes. La raison que l'on en donne le plus souvent pour l'expliquer, c'est qu'aux IIème et Ier siècles avant notre Ere, les zones méridionales de l'ibérisme étaient déjà trop imprégnées de l'influence romaine

primäre Eleganz, die sich unter der edetanischen Bevölkerung bemerkbar machte, die durch eine grobere Ausdruckskraft ersetzt wurde, in welcher die Anmut gerade aus der naiven Freiheit entspringt, die fast mit der kindlichen Kunst verglichen werden könnte.

Sehr oberflächlich theorisierte man über die Überladung dieses Stiles; aber das, was für uns offensichtlich ist, wurde nicht gesehen, dass dieser Kunststil auf die gleiche Weise und aus den gleichen Gründen entstand, wie es bei vielen anderen Kunststilen der Fall ist, die im Ländlichen verwurzelt sind; über Zeit und Raum hinaus, als diese Kunst sich frei von jedem Einfluss der künstlerischen oder kunsthandwerklichen Produktion anderer Gesellschaftsschichten entfalten konnte, von der slavischen Volkskunst der letzten Jahrhunderte bis zur geometrischen Überladung der primitiven griechischen Keramikmalerei. Und abgesehen von allen Entfernungen und Schattierungen, wie in den schon geschilderten Fällen, könnte man nicht die Neigung zum erzählenden Stil dem gleichen Ursprung zuschreiben? Was denn anderes, ist denn sonst im Grunde genommen, das «zusammenhängende Relief», das so typisch für die römische Bildhauerkunst ist, als eine Verfeinerung des Geschmacks —infolge des griechischen Einflusses— an der erzählenden Malerei, die mit dem verglichen

expresionismo tosco, en el que la gracia viene de la libertad ingenua comparable a la del arte infantil.

Se ha teorizado superficialmente sobre el barroquismo de este estilo. No se ha visto lo que nos parece evidente. Que se produce de la misma manera y por las mismas razones que lo hallamos en tantas otras artes de raíz social campesina, a través del espacio y del tiempo, cuando este arte se ha podido desarrollar con suficiente libertad, fuera del influjo de las producciones artísticas o artesanas de otros grupos sociales, de la corte y de la ciudad, desde las creaciones populares eslavas de los últimos siglos, hasta el barroquismo geométrico de la primitiva pintura cerámica griega. Y salvando todas las distancias y matices como en los casos anteriores, ¿no podríamos atribuir al mismo fondo la tendencia al conjunto narrativo de las escenas? ¿Qué otra cosa es en el fondo el «relieve continuo» tan típico de la escultura romana, que la elevación —refinada por la influencia helénica— del gusto por la pintura de sucesos, comparable a la que nos muestran las producciones edetanas? También ahí estamos ante un caso de un pueblo —el romano— que mantuvo durante siglos su mentalidad originaria de campesinos.

but none has spoken of what seems evident to us. By this we mean that it is produced in the same way, and for the same reasons, as so many other folk arts, through time and space, whenever such art has been able to develop freely enough, far removed from the influence of the arts or crafts of other social groups, far from court or city: from the creations of the Slav peoples in recent centuries to the geometrical baroque of early Greek ceramic painting. And if we were to disregard all distances and nuances such as those we have mentioned, could we not find a common source for this tendency to the narrative whole of the scenes? What else, after all, is the «continuous relief» so typical of Roman sculpture, than a refined expression —still further refined by Hellenic influence— of pictures that tell a story, just as we find in the works of the edetanos? Here, too, we are confronted with a people —the Romans— who kept for centuries their original peasant mentality.

But we do not know this kind of art in Andalusia and it is hardly likely that we should see any new discoveries. The reason most usually given for this is that in the 2nd and 1st centuries B.C. the southern parts of "Iberia" were already too deeply impregnated with the Roman influence to permit any flourishing of an indigenous art, rooted in the old local traditions. We should

pour que fut possible l'épanouissement d'un art autochtone, enraciné dans les vieux courants locaux. Il ne faut pas oublier, en effet, la force de la pénétration romaine qui imposa plus rapidement le latin dans l'ancien pays des *turdetans*, que les Romains appelèrent Bética (et qui dans ses grandes lignes correspond à peu près à ce qu'est aujourd'hui l'Andalousie) que dans n'importe quelle autre aire péninsulaire. Nous savons qu'avant Auguste, en effet, une bonne partie de la population y parlait la langue de Rome.

Mais ceci n'est vrai qu'en partie. Pour expliquer l'absence d'un art populaire semblable à celui que nous trouvons dans la région de Valence, en Aragón et même, quoiqu'à une échelle plus modeste, en Catalogne, il faut tenir compte de la différence de structures sociales. Le paysan *turdetan*, étouffé par les couches aristocratiques supérieures, n'eut pas l'occasion de se manifester artistiquement avec autant de liberté que les classes populaires des tribus de l'Est, de composition beaucoup moins stratifiée et rigide. Nous connaissons l'art des classes populaires méridionales surtout à travers les ex-voto de bronze des grands sanctuaires. Mais ce n'est pas là une manifestation plastique d'art populaire. En premier lieu, il s'agit de bronzes

werden kann, was uns die edetanischen Kunstwerke darstellen? Auch hier haben wir es mit einem Volk zu tun —dem römischen— das Jahrhunderte hindurch, die ursprüngliche Mentalität des Landmannes beibehielt.

Diesen Kunststil kennt man in Andalusien nicht und es ist unwahrscheinlich, dass in dieser Hinsicht neue Entdeckungen zu erwarten wären. Die Erklärung, die man hierfür am meisten gab, war die, dass die südlichen Zonen des Iberismus bereits im II. und im I. Jahrhundert vor unserer Zeitrechnung zu sehr von den römischen Einflüssen durchdrungen waren, um noch eine eigene einheimische Kunst, die noch mit den alten lokalen Strömungen verwurzelt wäre, zu voller Blüte zu entwickeln. Tatsächlich darf nicht vergessen werden, dass die römische Eindringung in das alte Land der Tudetaner —das von den Römern Bética genannt wurde (und im allgemeinen dem entspricht, was heute Andalusien ist)— sehr stark gewesen ist, sodass die Bevölkerung viel schneller als die der restlichen Gebiete der Halbinsel, die lateinische Sprache erlernte. Es ist bekannt, dass ein grosser Teil der Bevölkerung dort lange vor Augustus, die Sprache der Römer beherrschte.

Doch dies ist nur ein Teil der Wirklichkeit. Um das Fehlen einer ähnlichen Volkskunst zu

Este tipo de arte no lo conocemos en Andalucía y no es probable esperar la revelación de nuevos descubrimientos. La razón que más corrientemente se ha dado para explicarlo es que en los siglos II-I antes de nuestra Era las zonas meridionales del iberismo estaban ya demasiado impregnadas de influencia romana para que fuera posible el florecimiento de un arte autóctono, enraizado en las viejas corrientes locales. No puede olvidarse, en efecto, la fuerza de la penetración romana que impuso en el antiguo país de los turdetanos, que los romanos llamaron Bética (y que en líneas generales corresponde a lo que hoy es Andalucía) más rápidamente el latín, por ejemplo, que en ninguna de las restantes áreas peninsulares. Sabemos que antes de Augusto, en efecto, una buena parte de la población hablaba allí la lengua de Roma.

Pero es sólo una parte de la verdad. Para explicar la falta de un arte popular semejante al que hallamos en el País Valenciano, en Aragón e incluso en menor escala en Cataluña, hay que tener en cuenta la diferencia de estructuras sociales. El campesinado turdetano, ahogado por las castas superiores, aristocráticas, no tuvo ocasión de manifestarse artísticamente con la libertad con que pudieron hacerlo las clases populares de las tribus del

not forget, indeed, that in the ancient territory of the turdetanos *(which the Romans called Bética, and which corresponds, more or less, to the modern Andalusia) the invasion of the Romans caused Latin to be spoken there well before any other part of the peninsula. We know, in fact, that even before the time of Augustus a large part of the population of the region already spoke the language of Rome.*

But this is only part of the truth. If we wish to explain the lack of a popular art similar to that which we find in Valencia, in Aragon and, to a lesser extent, in Catalonia, we must bear in mind the difference in social structures. The peasant classes of the turdetanos, *bowed under the yoke of the aristocrats, could not express themselves artistically with the same freedom as could the common people of the eastern tribes, which were much looser in social stratification. The art of the lower classes in the south is known to us mainly through the bronze votive offerings to be found in the more important sanctuaries. But this can hardly be considered to be a plastic manifestation of folk art. In the first place, we are now dealing with bronze, a medium in which technique is more important, and one which does not permit so much freedom as painting on ceramic. But the principal thought in the minds of the faithful who buy these statuettes,*

dans lesquels le poids de la technique est plus important et qui n'offrent pas la même possibilité de liberté que la peinture sur céramique. Mais, surtout, ce que veut la clientèle dévote qui acquiert les petites figures pour les offrir comme ex-voto, c'est une approche aussi grande que possible aux prototypes de l'art religieux «officiel» orthodoxe, celui qui est représenté par la grande sculpture sur pierre: les animaux sacrés, les dieux et les porteurs d'offrandes. En somme, l'art qu'avait imposé la classe «féodale» et sacerdotale depuis les débuts de l'art ibérique que nous connaissons.

D'autre part, l'art des ex-voto de bronze demeura statique, avec de rares variations stylistiques au cours des temps, fruits de la production en série dérivée de moules consacrés. D'où la difficulté de dater ces statuettes que l'on continua à fabriquer jusque très avant dans l'époque romaine et qui ont provoqué de grandes discussions entre les spécialistes chaque fois qu'il s'est agi de déterminer leur chronologie avec une certaine exactitude.

Si nous examinons le cas de La Serreta de Alcoy du point de vue de son art, il apparaît qu'il s'agit d'un phénomène distinct et qu'il

erklären, wie man sie im valencianischen Land, in Aragonien und, zwar in kleinerem Masse, auch in Katalonien gefunden hat, muss man die Verschiedenheit der gesellschaftlichen Strukturen in Betracht ziehen. Das turdetanische Bauerntum, durch die oberen aristokratischen Schichten gedrosselt, konnte sich künstlerisch nicht so entfalten, wie es die Volksschichten der östlichen Stämme vermochten, die weniger streng und unterschiedlich geschichtet waren. Die Kunst der südlichen Volksschichten kennt man nur von den bronzenen Votivgaben her, die in den grossen Heiligtümern vorhanden waren. Aber dies kann man nicht als plastische Darstellung einer Volkskunst ansehen. Es handelt sich an erster Stelle um Bronzen, an denen die Technik zwar wirksamer ist, die aber in ihren Ausdrucksformen nicht die gleiche Freiheit aufweisen wie dies bei der Keramikmalerei der Fall ist.

Was aber von der frommen Kundschaft gesucht wird, wenn sie diese kleinen Figürchen kauft, ist, dass diese die grösste Ähnlichkeit mit den Originalen der religiösen «amtlichen», orthodoxen Kunst, die durch die grossen Steinbildnisse vertreten wird, besitzen: also die heiligen Tiere, die Götter und die Opfernden darstellen. Das heisst schliesslich, dass das die Kunst war, die von der «Feudalherrschaft» und von der Priesterschaft dem Volk seit dem Beginn der iberi-

129.   Vista en escorzo de león procedente de Nueva Carteya. Museo Arqueológico de Córdoba.
130.   León procedente de Nueva Carteya. Museo Arqueológico de Córdoba.

129.   *Foreshortened view of the lion from Nueva Carteya. Archaeological Museum of Cordova.*
130.   *Figure of a lion from Nueva Carteya. Archaeological Museum of Cordova.*

Este, de composición mucho menos estratificada y rígida. El arte de las clases populares meridionales lo conocemos sobre todo a través de los exvotos de bronce de los grandes santuarios. Pero ésta no es una manifestación plástica de arte popular. Se trata, en primer lugar de bronces, en los que el peso de la técnica es mayor y no ofrecen la misma libertad que la pintura sobre cerámica. Pero sobre todo, lo que busca la clientela devota que adquiere las figuritas para depositarlas como exvotos es una aproximación tan fuerte como sea posible a los prototipos del arte religioso «oficial», ortodoxo, el que viene representado por la escultura mayor, en piedra: los animales sagrados, los dioses y oferentes. En definitiva el arte que había impuesto la clase «feudal» y sacerdotal desde el principio del arte ibérico conocido.

Por otra parte, el arte de los exvotos de bronce, se mantuvo estático, con escasas variaciones estilísticas a través de los tiempos, frutos de la producción en serie, derivada de moldes consagrados. De ahí la dificultad de fechar estas pequeñas estatuillas, que se siguieron fabricando hasta bien entrada la época romana y que han provocado fuertes discusiones entre los especialistas siempre que se ha tratado de fijar con algún detalle su cronología.

in order to lay them before the altars as votive offerings, is to get one as near as possible in appearance to the prototypes of orthodox «official» religion, that which they see represented by the more important sculptures in stone: the sacred animals, the goddesses, the offerers. In short, the art sanctioned by the feudal and priestly classes since the beginning of Iberian art as we know it.

The art of the bronze votive offerings, moreover, remained static, with very few variations down through the years, since they were products of a kind of mass production, all born of the same sacred mould. Hence the difficulty of dating these little statuettes, which were still being made in the heyday of the Roman occupation and which have beén the subject of such violent argument among the experts, whenever there has been any question of fixing their date with any accuracy.

If we examine the case of the settlement of La Serreta de Alcoy from the artistic point of view, we shall see that we have here a very different phenomenon, and that we must not confound the stylistic sense of the statuettes from the sanctuaries with the much freer creations of the painters of vases. As we have already said, the sanctuary of this settlement has afforded

129. Vue en perspective du lion provenant de Nueva Carteya. Musée Archéologique de Cordoue.
130. Lion provenant de Nueva Carteya. Musée Archéologique de Cordoue.

129. *Ansicht in schiefer Stellung des Löwen aus Nueva Carteya. Museo Arqueológico. Córdoba.*
130. *Löwe aus Nueva Carteya. Museo Arqueológico. Córdoba.*

ne faut pas confondre le sens stylistique des statuettes des sanctuaires avec les créations beaucoup plus libres des peintres de poteries. Nous avons déjà dit que le lot le plus nombreux et le plus important qui se connaisse jusqu'ici dans le domaine de l'iconoplastique ibérique provient du sanctuaire de ce village. Or, la céramique contemporaine du village, utilisée chez elles par les mêmes personnes qui déposèrent les ex-voto dans le sanctuaire, est peinte dans un sens complètement différent. Le style et les scènes correspondent à ce qui est typique chez les deux grands peuples ou tribus de la région de Valence (*contestans* et *edetans*), c'est-à-dire à l'art des paysans. Tandis que les figures de terre cuite du sanctuaire montrent deux orientations: d'une part, l'influence classique, soit grecque soit punique, adoptée par le clergé dans son désir d'incorporer un art exotique et raffiné aux besoins du culte, désir qui répond au tréfonds du syncrétisme méditerranéen, dont la religion ibérique est probablement une des manifestations les plus occidentales. D'autre part, lorsque le sentiment populaire se manifeste spontanément, nous nous trouvons en présence de petites figures qui ne sont rien d'autre que de petites poupées semblant modelées par des mains d'enfants. Et s'il est vrai qu'elles ont la grâce des créations

schen Kunst, wie sie bekannt wurde, auferzwungen war.

Die Kunst der bronzenen Votivgaben hat sich, mit ganz wenigen stilistischen Abweichungen, über die Zeiten hin unverändert erhalten, weil sie das Ergebnis einer Serienproduktion auf Grund von geheiligten Formen entsprang. Daher auch die Schwierigkeit, diesen kleinen Figürchen ein entsprechendes Zeitalter anzuweisen, da sie ja bis weit in die römische Epoche hinein hergestellt wurden und daher auch immer wieder zu Diskussionen unter den Fachleuten Anlass gaben, wenn es darum ging eine chronologische Zeitangabe festzustellen.

Dass es sich um eine ganz andere Erscheinung handelt und dass der stilistische Sinn der Figuren aus den Heiligtümern nicht mit den viel freieren Schöpfungen der Vasenmalerei verwechselt werden darf, steht ausser Frage, wenn man das Gefundene von der Siedlung La Serreta in Alcoy vom künstlerischen Standpunkt aus prüft. Wir haben an anderer Stelle schon gesagt, dass hier die grösste und bedeutendste Sammlung weiblicher Figürchen gefunden wurde; aber die zeitgenössische Keramik des Ortes, die von den gleichen Menschen in ihren Haushalten verwendet wurde, war in einem ganz anderen Stil bemalt. Der Stil und die gemalten

129

131. Detalle de la cabeza de león de Nueva Carteya del Museo Arqueológico de Córdoba (figura completa en página 227).

132. La Dama de Elche.

131. *Detail of the lion's head from Nueva Carteya which is in the Archaeological Museum of Cordova (the whole figure can be found on page 227).*

132. *The Lady of Elche.*

131   132

131. Détail de la tête du lion de Nueva Carteya du Musée Archéologique de Cordoue (figure complète à la page 227).
132. La Dame d'Elche.

131. *Detail des Löwenkopfes aus Nueva Carteya im Museo Arqueológico von Córdoba (die ganze Figur ist auf Seite 227).*
132. *La Dama de Elche.*

Szenen entsprechen ganz denjenigen der beiden grossen valencianischen Stämme oder Völker (Kontestaner und Edetaner), also der Bauernkunst. Wogegen man an den kleinen Figuren aus Terrakotta, die aus dem Heiligtum stammen, zwei verschiedene Richtungen festgestellt hat.

Einerseits übernahmen die Priester, in ihrem Eifer, den Bedürfnissen ihrer Religion entsprechend, eine verfeinerte exotische Kunst aufzunehmen, den klassischen bald griechischen, bald punischen Einfluss, was auch den verschiedenen mittelmeerischen Religionen entsprach, von denen wohl die iberische Religion wahrscheinlich eine der westlichsten war. Kommt aber, andrerseits, das Volksgefühl spontan zum Ausdruck, dann finden wir dass diese kleinen Figürchen nichts anderes sind als von Kinderhand gefertigte kleine Puppen. Und wiewohl sie auch die Anmut ganz naiver Schöpfungen haben — gerade wegen ihrer engen Verbindung zu den primären Grundlagen und des Fehlens jeglicher Technik — kann man leicht Parallelen dazu finden, nicht nur unter den neolithischen Idolen des östlichen Mittelmeerraumes — der schliesslich, trotz der chronologischen Ausschaltung, keine so entfernte Welt ist — sondern auch in den Terrakotten, die von den vergangenen bäuerlichen, vortechnischen Kulturen hervorgebracht wurden, von irgendeiner menschlichen Gemeinschaft aus ir-

Que se trata de un fenómeno distinto y que no hay que confundir el sentido estilístico de las figuritas de los santuarios con las creaciones mucho más libres de los pintores de vasos, queda patente si examinamos el caso del poblado de La Serreta de Alcoy desde el punto de vista de su arte. Ya hemos indicado que del santuario de este poblado procede el lote más numeroso y más importante hasta ahora conocido de coroplastia ibérica. Pues bien, la cerámica contemporánea del poblado, utilizada en su ajuar doméstico por las mismas gentes que depositaron los exvotos en el santuario, está pintada con un sentido completamente distinto. Escenas y estilo corresponden al típico de los dos grandes pueblos o tribus valencianas (contestanos y edetanos) o sea al arte de los campesinos. Mientras que las figuritas de barro cocido del santuario manifiestan dos corrientes. Por una parte el influjo clásico, ya griego, ya púnico, adoptado por el clero en su afán de incorporar un arte exótico y refinado a las necesidades del culto, que responde al trasfondo del sincretismo mediterráneo, del que la religión ibérica es probablemente una de las manifestaciones más occidentales. Por otra parte, cuando se manifiesta espontáneamente el sentimiento popular, nos hallamos ante unas figuritas que no son otra cosa que pequeños muñecos que

us the largest and most important find of Iberian choroplastic art hitherto known. The ordinary pottery of the people at this time, however, objects of everyday use for the same people who deposited their votive offerings in the sanctuary, is painted in quite a different style. Scenes and style correspond to what was most typical in the two great Valencian tribes or peoples (contestanos and edetanos), i.e., peasant art. On the other hand, the terra cotta statuettes from the sanctuary seem to be in two styles. The first shows a classical influence, Greek or Punic, adopted by the priests in their zeal to provide their religion with a refined, exotic art, which would correspond to their background of Mediterranean syncretism, of which the Iberian religion was probably one of the most westerly manifestations. But then again, when there is a spontaneous outburst of popular feeling, we are faced with tiny figures which are no more than little dolls that seem to have been moulded by the hands of a child. And though it is true that they have all the charm of the most ingenuous of creations, it is precisely because of the close links that bind them to their primary source and their lack of technical niceties that it is easy to find parallels for them, not only in the neolithic idols of the eastern Mediterranean —which, after all, is not such a far-off world, in spite of chronological

parecen moldeados por manos infantiles. Y si bien es cierto que tienen la gracia de las creaciones más ingenuas, precisamente por su vinculación tan inmediata al fondo primario y por su falta de preocupaciones técnicas, es fácil hallarles paralelos no sólo ya en los ídolos neolíticos del Mediterráneo Oriental —que al fin y al cabo no es un mundo tan lejano, a pesar del *decalage* cronológico— sino incluso en terracotas producidas por las civilizaciones agrícolas populares, pretécnicas, de cualquier grupo humano de cualquier época. El popularismo de la pintura tiene, en cambio, un sentido totalmente distinto: se trata de un arte con personalidad diferencial clara, inconfundible, propio de un pueblo, de un tiempo y de un área determinada.

decalage— but even in agricultural, popular, pre-technical civilizations, in any human group and at any time. The popular quality of the painting, on the other hand, has a completely different sense: in it we have an art with a clearly differential personality, quite unmistakable, absolutely peculiar to a people, a time and a definite area.

133

134. Détail de la tête d'une figurine de bronze provenant des Sanctuaires de Despeñaperros. Musée d'Archéologie de Barcelone.

135. Musée Archéologique de Cordoue. Vue de la salle de sculptures d'animaux ibériques.

134. Detail des Kopfes einer kleinen Bronzefigur aus den Heiligtümern von Despeñaperros. Museo de Arqueología. Barcelona.

135. Museo Arqueológico von Córdoba. Ansicht des Saales der iberischen Tierskulpturen.

ingénues, précisément en raison de leur si étroite relation avec le fonds primaire, et de l'absence de préoccupations techniques, il est facile de leur trouver des ressemblances avec les idoles néolithiques de la Méditerranée Orientale (qui, en fin de compte, n'est pas un monde tellement lointain malgré le décalage chronologique) et même avec les terres cuites produites par les civilisations agricoles populaires, pré-techniques, de n'importe quel groupe humain d'une époque quelconque. La faveur populaire de la peinture a par contre une signification totalement distincte: c'est un art d'une personnalité clairement différenciée, que l'on ne peut confondre avec aucun autre, propre d'un peuple, d'une époque et d'une aire déterminée.

gendeiner Zeit. Das Volkstum in der Malerei aber hat einen ganz anderen Sinn; es handelt sich hier um eine Kunst mit einer klar differenzierten Persönlichkeit, die unverkennbar einem Volk, einer Zeit und einem bestimmten Gebiet zu eigen ist.

134

Centros principales de Arte Ibérico.
136. La Dama de Elche.

Centres principaux d'Art Ibérique.
136. La Dame d'Elche.

Principal centers of Iberian Art.
136. The Lady of Elche.

Hauptzentren der Iberischen Kunst.
136. La Dama de Elche.

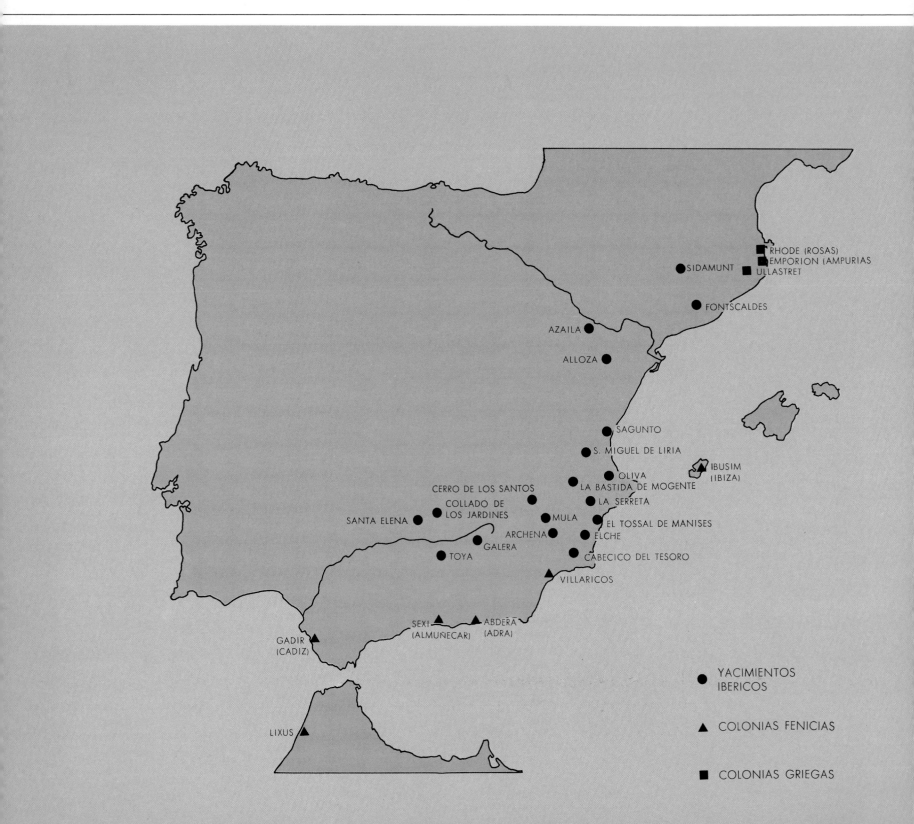

RHODE (ROSAS)
EMPORION (AMPURIAS
SIDAMUNT
ULLASTRET

FONTSCALDES

AZAILA

ALLOZA

SAGUNTO

S. MIGUEL DE LIRIA

IBUSIM
(IBIZA)

OLIVA
LA BASTIDA DE MOGENTE
CERRO DE LOS SANTOS
COLLADO DE
LOS JARDINES
LA SERRETA
SANTA ELENA
MULA
EL TOSSAL DE MANISES
ARCHENA
ELCHE
GALERA
TOYA
CABECICO DEL TESORO
VILLARICOS

SEXI
(ALMUÑECAR)
ABDERA
(ADRA)

GADIR
(CADIZ)

LIXUS

● YACIMIENTOS
   IBERICOS

▲ COLONIAS FENICIAS

■ COLONIAS GRIEGAS

INDICE DE OBRAS

INDEX OF WORKS

1. Orante. Figurita de bronce procedente del Santuario de Castillar de Santisteban, provincia de Jaén. Museo de Arqueología de Barcelona.

2. Guerreros. Detalle de la pintura de un vaso de la necrópolis de Oliva (Valencia). Museo de Arqueología de Barcelona.

3. Guerreros. Detalle de un vaso del poblado de San Miguel de Liria, Valencia. Museo de Prehistoria de Valencia.

4. Jinete. Figurita de bronce del Santuario de La Luz, Murcia. Museo de Arqueología de Barcelona.

5. Exvoto en piedra del Santuario del Cerro de los Santos, Montealegre del Castillo, Albacete. Museo Arqueológico Nacional de Madrid.

6. Cabeza de león, de piedra. Procede de Manga (Granada). Museo Arqueológico de Córdoba.

7. Cabeza de una oferente del Cerro de los Santos. Museo Arqueológico Nacional de Madrid.

8. Detalle de un vaso pintado de San Miguel de Liria, Valencia. Museo de Prehistoria de Valencia.

9. Jinete. Figurita de bronce del Santuario de La Luz, Murcia. Museo de Arqueología de Barcelona.

10. Cabeza masculina, terracota. Recién descubierta en las excavaciones de la ciudad íbero-romana del Tossal de Manises, Alicante. Museo Arqueológico de Alicante.

11. Detalle de la cabeza de un caballo. Piedra. Santuario del Cigarralejo de Mula, Murcia. Colección Emeterio Cuadrado. Madrid.

12. Relieve Almodóvar del Río. Museo de Córdoba.

13. Tapadera de vaso pintado de San Antonio de Calaceit.

14. Vaso pintado. Museo Arqueológico de Barcelona.

15. Vaso pintado, de la forma llamada kalathos o «sombrero de copa».

16. Tapadera de vaso pintado de San Antonio de Calaceit.

17. Devotos en adoración. Figuritas de bronce del Santuario.

18. Guerrero a caballo. Pequeño bronce procedente del poblado de La Bastida de Mogente. Valencia. Museo de Prehistoria de Valencia.

19. Tres pequeños bronces de los Santuarios de Despeñaperros. Museo de Prehistoria de Valencia.

20. Detalle de un vaso pintado —estilo Elche-Archena—, procedente del poblado del Tossal de la Cala de Benidorm (Alicante). Museo Arqueológico de Alicante.

21, 22, 23. Tres vasijas de formas distintas procedentes de La Alcudia de Elche (Colección Ramos Folques, Elche).

24. Oferente. Figura de piedra del Cerro de los Santos. Museo Arqueológico Nacional de Madrid.

25. Vista del lugar de La Alcudia de Elche, donde en 1897 se halló la «Dama de Elche».

26. «La Dama de Elche», detalle. Museo del Prado, Madrid.

27. Cabeza de una figura de piedra. Puente Genil. Museo de Córdoba.

28. Cabecita de terracota masculina. Santuario de la Serreta de Alcoy. Museo de Alcoy.

29. Tres figuritas de terracota del Santuario de la Serreta de Alcoy. Museo de Alcoy.

30. Caballo. Relieve en piedra del Santuario del Cigarralejo de Mula, Murcia. Colección Emeterio Cuadrado. Madrid.

1. *Orant. Bronze figurine from the sanctuary of Castillar de Santisteban, in the province of Jaén. Archaeological Museum of Barcelona.*

2. *Warriors. Detail of the painting of a vase from the necropolis of Oliva (Valencia). Archaeological Museum of Barcelona.*

3. *Warriors. Detail of a vase from the settlement of San Miguel de Liria, Valencia. Prehistory Museum of Valencia.*

4. *Rider. Bronze figurine from the sanctuary of La Luz, Murcia. Archaeological Museum of Barcelona.*

5. *Votive offering in stone, from the sanctuary of the Cerro de los Santos, Montealegre del Castillo, Albacete. National Archaeological Museum, Madrid.*

6. *Lion's head in stone. From Manga (Granada). Archeological Museum of Cordova.*

7. *Head of an offerer, from the Cerro de los Santos. National Archaeological Museum, Madrid.*

8. *Detail of a painted vase from San Miguel de Liria, Valencia. Prehistory Museum of Valencia.*

9. *Rider. Bronze figurine from the sanctuary of La Luz, Murcia. Archaeological Museum of Barcelona.*

10. *Man's head in terracotta. Recently discovered in the excavations of the Ibero-Roman city of El Tossal de Manises, Alicante. Archaeological Museum of Alicante.*

11. *Detail of the head of a horse. Stone. Sanctuary of El Cigarralejo de Mula, Murcia. Emeterio Cuadrado Collection, Madrid.*

12. *Relief from Almodóvar del Río. Museum of Cordova.*

13. *Cover of a painted vase, from San Antonio de Calaceit.*

14. *Painted vase. Archaeological Museum of Barcelona.*

15. *Painted vase, in the shape known as kalathos or «top hat».*

16. *Cover of a painted vase, from San Antonio de Calaceit.*

17. *Devotees in attitude of adoration. Bronze figurines from the Sanctuary.*

18. *Warrior on horseback. Small bronze from the settlement of La Bastida de Mogente, Valencia. Prehistory Museum of Valencia.*

19. *Three small bronzes from the sanctuaries of Despeñaperros. Prehistory Museum of Valencia.*

20. *Detail of a painted vase —Elche-Archena style— from the settlement of El Tossal de la Cala, Benidorm (Alicante). Archaeological Museum of Alicante.*

21, 22, 23. *Three vessels of different shapes, from La Alcudia de Elche. Ramos Folques Collection, Elche.*

24. *Offerer. Stone figure from the Cerro de los Santos. National Archaeological Museum, Madrid.*

25. *View of the site in La Alcudia de Elche in which, in 1897, the «Lady of Elche» was found.*

26. *«The Lady of Elche», detail. The Prado, Madrid.*

27. *Head of a stone figure. Puente Genil. Museum of Cordova.*

28. *Small male head in terracotta. Sanctuary of La Serreta de Alcoy. Museum of Alcoy.*

29. *Three terracotta figurines from the sanctuary of La Serreta de Alcoy. Museum of Alcoy.*

30. *Horse. Relief in stone, from the sanctuary of El Cigarralejo de Mula, Murcia. Emeterio Cuadrado Collection, Madrid.*

TABLE DE REPRODUCTIONS

VERZEICHNIS DER WERKE

1. Orant. Figurine de bronze provenant du Sanctuarie de Castillar de Santisteban, province de Jaén. Musée d'Archéologie de Barcelone.

2. Guerriers. Détail de la peinture d'un vase de la necropole d'Oliva (Valencia). Musée d'Archéologie de Barcelone.

3. Guerriers. Détail d'un vase de la localité de San Miguel de Liria, Valencia. Musée de Préhistoire de Valencia.

4. Cavalier. Figurine de bronze du Sanctuaire de La Luz, Murcie. Musée d'Archéologie de Barcelone.

5. Ex-voto en pierre du Sanctuaire du Cerro de los Santos, Montealegre del Castillo, Albacete. Musée Archéologique National de Madrid.

6. Tête de lion, en pierre. Provient de Manga (Grenade). Musée Archéologique de Cordoue.

7. Tête d'offrante du Cerro de los Santos. Musée Archéologique National de Madrid.

8. Détail d'un vase peint de San Miguel de Liria, Valencia. Musée de Préhistoire de Valencia.

9. Cavalier. Figurine de bronze du Sanctuaire de La Luz, Murcie. Musée d'Archéologie de Barcelone.

10. Tête masculine, terre cuite. Découverte récemment dans les excavations de la ville ibéro-romaine du Tossal de Manises, Alicante. Musée Archéologique d'Alicante.

11. Détail de la tête d'un cheval. Pierre. Sanctuaire du Cigarralejo de Mula, Murcie. Collection Emeterio Cuadrado, Madrid.

12. Relief Almodovar del Río, Musée de Cordoue.

13. Couvercle de vase peint de San Antonio de Calaceit.

14. Vase peint. Musée Archéologique de Barcelone.

15. Vase peint, de la forme dite kalathos ou «chapeau haut de forme».

16. Couvercle de vase peint de San Antonio de Calaceit.

17. Dévots en adoration. Figurines de bronze du Sanctuaire.

18. Guerrier à cheval. Petit bronze provenant de la localité de La Bastida de Mogente, Valencia. Musée de Préhistoire de Valencia.

19. Trois petits bronzes des Sanctuaires de Despeñaperros. Musée de Préhistoire de Valencia.

20. Détail d'un vase peint —style Elche-Archena—, provenant de la localité du Tossal de la Cala de Benidorm (Alicante). Musée Archéologique d'Alicante.

21, 22, 23. Trois pots de formes différentes provenant de la Alcudia de Elche (Collection Ramos Folques, Elche).

24. Offrant. Figure de pierre du Cerro de los Santos. Musée Archéologique National de Madrid.

25. Endroit de La Alcudia d'Elche où fut trouvée la «Dame d'Elche» en 1897.

26. «La Dame d'Elche», détail. Musée du Prado, Madrid.

27. Tête d'une figure de pierre. Puente Genil. Musée de Cordoue.

28. Petite tête masculine de terre cuite. Sanctuaire de la Serreta d'Alcoy. Musée d'Alcoy.

29. Trois figurines de terre cuite du Sanctuaire de La Serreta d'Alcoy. Musée d'Alcoy.

30. Cheval. Relief en pierre du Sanctuaire du Cigarralejo de Mula, Murcie. Collection Emeterio Cuadrado, Madrid.

1. Betende. Kleine Bronzefigur aus dem Heiligtum von Castillar de Santisteban, Provinz Jaén. Museo de Arqueología, Barcelona.

2. Krieger. Detail einer Vasenmalerei aus der Nekropole von Oliva (Valencia). Museo de Arqueología, Barcelona.

3. Krieger. Detail einer Vase aus der Siedlung von San Miguel de Liria (Valencia). Museo de Prehistoria, Valencia.

4. Reiter. Kleine Bronzefigur aus dem Heiligtum von Luz (Murcia). Museo de Arqueología, Barcelona.

5. Votivgabe aus Stein aus dem Heiligtum vom Cerro de los Santos in Montealegre del Castillo (Albacete). Museo Arqueológico Nacional, Madrid.

6. Löwenkopf aus Stein. Stammt aus Manga (Granada). Museo Arqueológico, Córdoba.

7. Kopf einer Opfernden aus dem Cerro de los Santos. Museo Arqueológico Nacional, Madrid.

8. Detail einer bemalten Vase aus San Miguel de Liria (Valencia). Museo de Prehistoria, Valencia.

9. Reiter. Kleine Bronzefigur aus dem Heiligtum von Luz, Murcia. Museo de Arqueología, Barcelona.

10. Männerkopf aus Terrakotta. Kürzlich bei den Ausgrabungen in der iberorömischen Stadt von Tossal de Manises (Alicante) gefunden. Museo Arqueológico, Alicante.

11. Detail eines Pferdekopfes aus Stein. Heiligtum von Cigarralejo de Mula (Murcia). Sammlung Emeterio Cuadrado. Madrid.

12. Relief aus Almodóvar del Río. Museum von Córdoba.

13. Deckel einer bemalten Vase aus San Antonio de Calaceit.

14. Bemalte Vase. Museo Arqueológico, Barcelona.

15. Bemalte Vase, in der sogenannten «Kalathos» —oder «Zylinderhut»—Form.

16. Deckel einer bemalten Vase aus San Antonio de Calaceit.

17. Anbetende Heilige. Kleine Bronzefiguren aus dem Heiligtum.

18. Krieger zu Pferd. Kleine Bronze aus der Siedlung La Bastida de Mogente (Valencia). Museo de Prehistoria, Valencia.

19. Drei kleine Bronzen aus dem Heiligtum von Despeñaperros. Museo de Prehistoria, Valencia.

20. Detail einer bemalten Vase —Elche-Archena Stil— aus der Siedlung von Tossal de la Cala de Benidorm (Alicante). Museo Arqueológico, Alicante.

21, 22, 23. Drei Gefässe verschiedener Form aus La Alcudia de Elche. (Sammlung Ramos Folques, Elche).

24. Opfernde. Steinfigur aus dem Cerro de los Santos. Museo Arqueológico, Alicante.

25. Ansicht des Ortes von La Alcudia de Elche, wo im Jahr 1897 die «Dama de Elche» gefunden wurde.

26. «La Dama de Elche», Detail. Museo del Prado, Madrid.

27. Kopf einer Steinfigur. Puente Genil. Museum von Córdoba.

28. Kleiner Männerkopf eus Terrakotta. Heiligtum von La Serreta de Alcoy. Museum von Alcoy (Alicante).

29. Drei kleine Terrakotta-Figuren aus dem Heiligtum von La Serreta de Alcoy. Museum von Alcoy.

30. Pferd. Steinrelief aus dem Heiligtum von Cigarralejo de Mula (Murcia). Sammlung Emeterio Cuadrado. Madrid.

31. Jinete. Pequeño bronce del Santuario de La Luz, Murcia. Museo de Arqueología de Barcelona.

32. Cabeza de caballo. Detalle de un exvoto del Santuario del Cigarralejo de Mula, Murcia. Colección Emeterio Cuadrado. Madrid.

33. Jinete guerrero. Detalle de un vaso pintado del poblado de La Serreta de Alcoy. Museo de Alcoy.

34. Detalle de un vaso pintado de la necrópolis de Oliva. Valencia. Museo de Prehistoria de Valencia.

35. Vasija pintada del poblado del Tossal de la Cala de Benidorm. Museo Arqueológico de Alicante.

36. Urna pintada de la necrópolis de Oliva. Valencia. Museo de Arqueología de Barcelona.

37. Vasija pintada.

38. Pormenor de un vaso pintado de Oliva. Museo de Arqueología de Barcelona.

39. Vaso pintado, de la forma llamada kalathos o sombrero de copa. Procede de San Miguel de Liria, Valencia. Museo de Prehistoria de Valencia.

40. Detalle de la pintura de una vasija del poblado de San Miguel de Liria, Valencia. Museo de Prehistoria de Valencia.

41. Vaso ibérico de Ampurias con dos lanceros corriendo.

42. Detalle de la pintura de una vasija del poblado de San Miguel de Liria. Museo de Prehistoria de Valencia.

43. Detalle de la pintura de una vasija del poblado de San Miguel de Liria, Valencia. Museo de Prehistoria de Valencia.

44. Detalle de la pintura de una vasija del poblado de San Miguel de Liria, Valencia. Museo de Prehistoria de Valencia.

45. Detalle de la pintura de una vasija del poblado de San Miguel de Liria, Valencia. Museo de Prehistoria de Valencia.

46. Torso de guerrero. Escultura en piedra, hallada en La Alcudia de Elche. Colección Ramos Folques, Elche.

47. Pormenor de un fragmento de escultura de piedra, representando a un guerrero: mano sosteniendo el escudo. La Alcudia de Elche. Colección Ramos Folques, Elche.

48. Estela sepulcral, con series de puntas de lanzas incisas. Comarca del Bajo Aragón. Museo de Arqueología de Barcelona.

49. Anverso y reverso de una moneda de Undikesken (Ampurias) —a la izquierda— y dos anversos de otras monedas ibéricas mostrando el tipo de figura masculina probablemente de divinidad típica de esta serie.

50. Otro ejemplar de reverso de moneda ibérica.

51. Dama oferente del Cerro de los Santos. Museo Arqueológico Nacional de Madrid.

52. Estela funeraria, con representación de un jinete y series de puntas de lanza. Procede de la comarca de Caspe. Museo de Arqueología de Barcelona.

53. Fragmento de relieve.

54. Detalle de una figura femenina sedente, mutilada, hallada en La Alcudia de Elche. Colección Ramos Folques, Elche.

55, 56, 57. Tres aspectos de una cabeza masculina.

58. Cabeza de piedra de Caudete (Albacete). Museo de Villena (Alicante).

31. *Rider. Small bronze from the sanctuary of La Luz, Murcia. Archaeological Museum of Barcelona.*

32. *Horse's head. Detail of a votive offering from the sanctuary of El Cigarralejo de Mula, Murcia. Emeterio Cuadrado Collection, Madrid.*

33. *Warrior on horseback. Detail of a painted vase from the settlement of La Serreta de Alcoy. Museum of Alcoy.*

34. *Detail of a painted vase from the necropolis of Oliva, Valencia. Prehistory Museum of Valencia.*

35. *Painted vessel from the settlement of El Tossal de la Cala, Benidorm (Alicante). Archaeological Museum of Alicante.*

36. *Painted urn from the necropolis of Oliva, Valencia. Archaeological Museum of Barcelona.*

37. *Painted vessel.*

38. *Detail of a painted vase from Oliva. Archaeological Museum of Barcelona.*

39. *Painted vase, in the shape known as kalathos or «top hat». From San Miguel de Liria, Valencia. Prehistory Museum of Valencia.*

40. *Detail of the painting of a vessel from the settlement of San Miguel de Liria, Valencia. Prehistory Museum of Valencia.*

41. *Iberian vase from Ampurias, with two spearmen running.*

42. *Detail of the painting of a vessel from the settlement of San Miguel de Liria, Valencia. Prehistory Museum of Valencia.*

43. *Detail of the painting of a vessel from the settlement of San Miguel de Liria, Valencia. Prehistory Museum of Valencia.*

44. *Detail of the painting of a vessel from the settlement of San Miguel de Liria, Valencia. Prehistory Museum of Valencia.*

45. *Detail of the painting of a vessel from the settlement of San Miguel de Liria, Valencia. Prehistory Museum of Valencia.*

46. *Torso of a warrior. Sculpture in stone, discovered in La Alcudia de Elche. Ramos Folques Collection, Elche.*

47. *Detail of a fragment of stone sculpture, representing a warrior: a hand holding up a shield. La Alcudia de Elche. Ramos Folques Collection, Elche.*

48. *Sepulchral stele, with a series of incised spears. From the Lower Aragon district. Archaeological Museum of Barcelona.*

49. *Obverse and reverse of a coin from Undikesken (Ampurias) —on the left— and two obverses of other Iberian coins, showing the type of masculine figure, probably of the divinity, typical of this series.*

50. *Another specimen of a reverse of an Iberian coin.*

51. *Offering figure of a lady, from the Cerro de los Santos. National Archaeological Museum, Madrid.*

52. *Funerary stele, with the representation of a rider and a series of spearheads. From the district of Caspe. Archaeological Museum of Barcelona.*

53. *Fragment of a relief.*

54. *Detail of a seated female figure, mutilated, discovered in La Alcudia de Elche. Ramos Folques Collection, Elche.*

55, 56, 57. *Three aspects of a masculine head.*

58. *Head in stone from Caudete (Albacete). Museum of Villena (Alicante).*

31. Cavalier. Petit bronze du Sanctuaire de La Luz, Murcie. Musée d'Archéologie de Barcelone.

31. Reiter. Kleine Bronze aus dem Heiligtum der Luz, Murcia. Museo de Arqueología, Barcelona.

32. Tête de cheval. Détail d'un ex-voto du Sanctuaire du Cigarralejo de Mula, Murcie. Collection Emeterio Cuadrado, Madrid.

32. Pferdekopf. Detail einer Votivgabe aus dem Heiligtum von Cigarralejo de Mula (Murcia). Sammlung Emeterio Cuadrado, Madrid.

33. Guerrier à cheval. Détail d'un vase peint de la localité de La Serreta d'Alcoy. Musée d'Alcoy.

33. Kriegerischer Reiter. Detail einer bemalten Vase aus der Siedlung La Serreta de Alcoy. Museum von Alcoy.

34. Détail d'un vase peint de la nécropole d'Oliva, Valencia. Musée de Préhistoire de Valencia.

34. Detail einer bemalten Vase aus der Nekropole von Oliva (Valencia). Museo de Prehistoria, Valencia.

35. Pot peint de la localité du Tossal de la Cala de Benidorm. Musée Archéologique d'Alicante.

35. Bemaltes Gefäss aus der Siedlung von Tossal de la Cala de Benidorm. Museo Arqueológico, Alicante.

36. Urne peinte de la nécropole d'Oliva, Valencia. Musée d'Archéologie de Barcelone.

36. Bemalte Urne aus der Nekropole von Oliva (Valencia). Museo de Arqueología, Barcelona.

37. Pot peint.

37. Bemaltes Gefäss.

38. Détail d'un vase peint d'Oliva. Musée d'Archéologie de Barcelone.

38. Detail einer bemalten Vase aus Oliva. Museo de Arqueología, Barcelona.

39. Vase peint, de la forme dite kalathos ou chapeau haut de forme. Provient de San Miguel de Liria, Valencia. Musée de Préhistoire de Valencia.

39. Bemalte Vase der sogenannten «Kalathos» —oder «Zylinderhut»— Form, aus San Miguel de Liria (Valencia). Museo de Prehistoria, Valencia.

40. Détail de la peinture d'un pot de la localité de San Miguel de Liria, Valencia. Musée de Préhistoire de Valencia.

40. Detail einer Vasenmalerei aus der Siedlung San Miguel de Liria (Valencia). Museo de Prehistoria, Valencia.

41. Vase ibérique d'Ampurias, montrant deux lanciers en pleine course.

41. Iberische Vase aus Ampurias mit zwei rennenden Lanzenträgern.

42. Détail de la peinture d'un pot de la localité de San Miguel de Liria, Valencia. Musée de Préhistoire de Valencia.

42. Detail der Malerei an einem Gefäss aus der Siedlung von San Miguel de Liria (Valencia). Museo de Prehistoria, Valencia.

43. Détail de la peinture d'un pot de la localité de San Miguel de Liria, Valencia. Musée de Préhistoire de Valencia.

43. Detail der Malerei an einem Gefäss aus der Siedlung von San Miguel de Liria (Valencia). Museo de Prehistoria, Valencia.

44. Détail de la peinture d'un pot de la localité de San Miguel de Liria, Valencia. Musée de Préhistoire de Valencia.

44. Detail der Malerei an einem Gefäss aus der Siedlung von San Miguel de Liria (Valencia). Museo de Prehistoria, Valencia.

45. Détail de la peinture d'un pot de la localité de San Miguel de Liria, Valencia. Musée de Préhistoire de Valencia.

45. Detail der Malerei an einem Gefäss aus der Siedlung von San Miguel de Liria (Valencia). Museo de Prehistoria, Valencia.

46. Torse de guerrier. Sculpture en pierre, trouvée à La Alcudia d'Elche. Collection Ramos Folques, Elche.

46. Krieger-Torso. Steinskulptur. In La Alcudia de Elche gefunden. Sammlung Ramos Folques, Elche.

47. Détail d'un fragment de sculpture en pierre, représentant un guerrier: main empoignant le bouclier. La Alcudia d'Elche. Collection Ramos Folques, Elche.

47. Detail des Fragmentes einer Steinskulptur die einem Krieger darstellt: Hand den Schild haltend. La Alcudia de Elche. Sammlung Ramos Folques, Elche.

48. Stèle tombale avec séries d'incisions en fer de lance. Localité du Bas Aragón. Musée d'Archéologie de Barcelone.

48. Grabstele mit eingeschnitzten Lanzenspitzen. Gegend von Nieder-Aragón. Museo de Arqueología, Barcelona.

49. Avers et revers d'une monnaie d'Undikesken (Ampurias) —à gauche— et deux avers d'autres monnaies ibériques montrant le type de figure masculine, probablement divine, caractéristique de cette série.

49. Vorder- und Rückseite einer Münze aus Undikesken (Ampurias) —links— und zwei Vorderseiten anderer iberischer Münzen, eine männliche Figur darstellend, wahrscheinlich eine Gottheit, die typisch für diese Münzserie ist.

50. Autre exemplaire de revers de monnaie ibérique.

50. Ein weiteres Exemplar der Rückseite einer iberischen Münze.

51. Dame offrante du Cerro de los Santos. Musée Archéologique National de Madrid.

51. Opfernde Gestalt aus dem Cerro de los Santos. Museo Arqueológico Nacional. Madrid.

52. Stèle tombale, avec représentation d'un cavalier et séries de fers de lance. Provient de la région de Caspe. Musée d'Archéologie de Barcelone.

52. Grabmalstele mit Darstellung eines Reiters und Reihen von Lanzenspitzen. Stammt aus der Gegend von Caspe (Aragón). Museo de Arqueología. Barcelona.

53. Fragment de relief.

53. Fragment eines Reliefs.

54. Détail d'une figure féminine assise, mutilée, trouvée à La Alcudia d'Elche. Collection Ramos Folques, Elche.

54. Detail einer sitzenden weiblichen Figur, verstümmelt. Sie wurde in La Alcudia de Elche gefunden. Sammlung Ramos Folques. Elche.

55, 56, 57. Trois aspects d'une tête masculine.

55, 56, 57. Drei verschiedene Ansichten eines Männerkopfes.

58. Tête de pierre de Caudete (Albacete). Musée de Villena (Alicante).

58. Kopf aus Stein aus Caudete (Albacete). Museo de Villena (Alicante).

59, 60, 61. Aspecto general y detalles de la llamada Gran Dama, figura de oferente, en piedra, del Cerro de los Santos. Museo Arqueológico Nacional de Madrid.

62. Figura en piedra de oferente. Cerro de los Santos. Museo Arqueológico Nacional de Madrid.

63. Cabeza en piedra. Cerro de los Santos. Museo de Arqueología de Barcelona.

64. Grupo de terracotta, representando a una diosa-madre con dos niños en los brazos, flanqueada por una madre y niño a un lado y dos flautistas en otro. Hallada recientemente en el poblado de La Serreta de Alcoy. Museo de Alcoy.

65. Figurita de bronce del Santuario de Castillar de Santisteban (Jaén). Museo de Arqueología de Barcelona.

66. Oferente. Escultura en piedra, Cerro de los Santos. Museo Arqueológico Nacional de Madrid.

67. Figurita de bronce. Jinete del Santuario de La Luz, Murcia. Museo de Arqueología de Barcelona.

68. Figurita de bronce, muy ampliada, formando parte de una pareja de bueyes arando. Poblado de La Bastida de Mogente, Valencia. Museo de Prehistoria de Valencia.

69, 70. Dos reversos de monedas ibéricas, mostrando el típico jinete característico de estas emisiones. Gabinete Numismático de Cataluña, Barcelona.

71. Un sector de las ruinas de la ciudad ibérica del Tossal de Manises, Alicante, durante las excavaciones de 1967.

72. Guerrero con lanza. Pequeño bronce hallado en Els Plans, junto a Villajoyosa. Alicante. Museo Arqueológico de Alicante.

73. Detalle de un vaso pintado, del Tossal de Manises, Alicante. Museo Arqueológico de Alicante.

74. Un aspecto del yacimiento del Tossal de Manises de Alicante en la zona sin excavar.

75. Tres cabezas de barro cocido, de pequeño tamaño, del Santuario de La Serreta de Alcoy. Museo de Alcoy. Ejemplo de arte popular.

76. Figurita femenina, bronce. Ejemplo de arte popular de tradición aristocrática.

77. Figura femenina sedente. Necrópolis de Cabecico del Tesoro, Murcia. Museo Arqueológico de Murcia.

78. Figura de piedra procedente del Cerro de los Santos. Museo Arqueológico de Madrid.

79. Detalle de una figura de piedra del Cerro de los Santos. Museo Arqueológico Nacional de Madrid.

80. Aspecto general de la misma figura de piedra del Cerro de los Santos. Museo Arqueológico Nacional de Madrid.

81. Fragmento del vaso llamado de «La Pepona», de la Alcudia de Elche. Colección Ramos Folques. Uno de los raros ejemplos de arte popular en la pintura del grupo Elche-Archena.

82, 83. Dos vasos «kalathos» o «sombreros de copa», pintados, de San Miguel de Liria. Museo de Prehistoria de Valencia.

84, 85. Conjunto y detalle del vaso «de las cabras», procedente de la necrópolis del Cabecico del Tesoro de Murcia. Museo Arqueológico de Murcia.

59, 60, 61. General aspect and details of the so-called «Great Lady», an offering figure in stone from the Cerro de los Santos. National Archaeological Museum, Madrid.

62. Figure of offerer in stone. Cerro de los Santos. National Archeological Museum, Madrid.

63. Head in stone. Cerro de los Santos. Archaeological Museum of Barcelona.

64. Group in terracotta, representing a goddess-mother with two children in her arms, flanked by a mother and child on one side and two flautists on the other. Recently discovered in the settlement of La Serreta de Alcoy. Museum of Alcoy.

65. Bronze figurine from the sanctuary of Castillar de Santisteban (Jaén). Archaeological Museum of Barcelona.

66. Offerer. Sculpture in stone. Cerro de los Santos. National Archaeological Museum, Madrid.

67. Bronze figurine. Rider from the sanctuary of La Luz, Murcia. Archaeological Museum of Barcelona.

68. Bronze figurine, greatly enlarged, forming part of a pair of oxen ploughing. Settlement of La Bastida de Mogente, Valencia. Prehistory Museum of Valencia.

69, 70. Two reverses of Iberian coins, showing the typical horseman characteristic of these mintings. Numismatic Collection of Catalonia. Barcelona.

71. A section of the ruins of the Iberian city of El Tossal de Manises, Alicante, during the 1967 excavations.

72. Warrior with spear. Small bronze found in Els Plans, near Villajoyosa, Alicante. Archaeological Museum of Alicante.

73. Detail of a painted vase, from El Tossal de Manises, Alicante. Archaeological Museum of Alicante.

74. A view of the deposits of El Tossal de Manises, Alicante, in the zone not yet excavated.

75. Three heads in fired clay, of small size, from the sanctuary of La Serreta de Alcoy. Museum of Alcoy. Example of popular art.

76. Bronze figurine of a woman. Example of popular art in the aristocratic tradition.

77. Seated female figure. Necropolis of El Cabecico del Tesoro, Murcia. Archaeological Museum of Murcia.

78. Stone figure from the Cerro de los Santos. National Archaeological Museum, Madrid.

79. Detail of a stone figure from the Cerro de los Santos. National Archaeological Museum, Madrid.

80. General view of the same stone figure from the Cerro de los Santos. National Archaeological Museum, Madrid.

81. Fragment of what is known as the vase of «La Pepona», from La Alcudia de Elche. Ramos Folques Collection. One of the rare examples of popular art in the painting of the Elche-Archena group.

82, 83. Two painted kalathos or «top hat» vases, from San Miguel de Liria. Prehistory Museum of Valencia.

84, 85. Whole view and detail of the vase «of the goats», from the necropolis of El Cabecico del Tesoro, Murcia. Archaeological Museum of Murcia.

59, 60, 61. Aspect général et détails de la dite Grande Dame, figure d'offrante, en pierre, de Cerro de los Santos. Musée Archéologique National de Madrid.

62. Figure en pierre d'offrant. Cerro de los Santos. Musée Archéologique National de Madrid.

63. Tête de pierre. Cerro de los Santos. Musée d'Archéologie de Barcelone.

64. Groupe de terre cuite, représentant une déesse-mère portant deux enfants dans ses bras, flanquée d'un côté d'une mère et d'un enfant et de l'autre de deux joueurs de flûte. Trouvée récemment dans la localité de La Serreta d'Alcoy. Musée d'Alcoy.

65. Figurine de bronze du Sanctuaire de Castillar de Santisteban (Jaén). Musée d'Archéologie de Barcelone.

66. Offrant. Sculpture de pierre. Cerro de los Santos. Musée Archéologique National de Madrid.

67. Figurine de bronze. Cavalier du Sanctuaire de La Luz, Murcie. Musée d'Archéologie de Barcelone.

68. Figurine de bronze, très agrandie, faisant partie d'une paire de bœufs en train de labourer. Localité de La Bastida de Mogente, Valencia. Musée de Préhistoire de Valencia.

69, 70. Deux revers de monnaies ibériques, montrant le cavalier caractérisant ces émissions. Cabinet Numismatique de Catalogne, Barcelone.

71. Un secteur des ruines de la ville ibérique du Tossal de Manises, Alicante, pendant les excavations de 1967.

72. Guerrier portant une lance. Petit bronze trouvé à Els Plans, près de Villajoyosa, Alicante. Musée Archéologique d'Alicante.

73. Détail d'un vase peint, du Tossal de Manises, Alicante. Musée Archéologique d'Alicante.

74. Un aspect du gisement du Tossal de Manises d'Alicante, zone non fouillée.

75. Trois têtes de terre cuite, de petit format, du Sanctuaire de La Serreta d'Alcoy. Musée d'Alcoy. Exemple d'art populaire.

76. Figurine féminine, bronze. Exemple d'art populaire de tradition aristocratique.

77. Figure féminine assise. Nécropole de Cabecico del Tesoro, Murcie. Musée Archéologique de Murcie.

78. Figure de pierre provenant du Cerro de los Santos. Musée Archéologique de Madrid.

79. Détail d'une figure de pierre du Cerro de los Santos. Musée Archéologique National de Madrid.

80. Aspect général de la même figure de pierre du Cerro de los Santos. Musée Archéologique National de Madrid.

81. Fragment du vase dit de «La Pepona», de la Alcudia d'Elche. Collection Ramos Folques. Un des rares exemples d'art populaire de la peinture du groupe Elche-Archena.

82, 83. Deux vases «kalathos» ou «chapeau haut de forme», peints, de San Miguel de Liria. Musée de Préhistoire de Valencia.

84, 85. Ensemble et détail du vase «des chèvres», provenant de la nécropole du Cabecico del Tesoro de Murcie. Musée Archéologique de Murcie.

59, 60, 61. Ganzansicht und Details der sogenannten «Gran Dama», Figur einer Opfernden aus Stein, vom Cerro de los Santos. Museo Arqueológico Nacional. Madrid.

62. Figur einer Opfernden aus Stein. Cerro de los Santos. Museo Arqueológico Nacional. Madrid.

63. Kopf aus Stein. Cerro de los Santos. Museo de Arqueología. Barcelona.

64. Gruppe aus Terrakotta. Darstellung einer Mutter-Göttin mit zwei Kindern auf den Armen, umgeben von einer Mutter mit Kind auf der einen Seite und zwei Flötenspielern auf der anderen. Sie wurde kürzlich in der Siedlung von La Serreta de Alcoy gefunden. Museum von Alcoy.

65. Kleine Bronzefigur aus dem Heiligtum von Castillar de Santisteban (Jaén). Museo de Arqueología. Barcelona.

66. Opfernde. Steinskulptur. Cerro de los Santos. Museo Arqueológico Nacional. Madrid.

67. Kleine Bronzefigur. Reiter aus dem Heiligtum de La Luz. Murcia. Museo de Arqueología. Barcelona.

68. Kleine Bronzefigur, stark vergrössert. Sie ist ein Teil eines pflügenden Ochsengespannes. Aus der Siedlung von La Bastida de Mogente (Valencia). Museo de Prehistoria. Valencia.

69, 70. Zwei Rückseiten iberischer Münzen mit dem typischen Kennzeichen derselben in Gestalt eines Reiters. Gabinete Numismático de Cataluña. Barcelona.

71. Eine Teilansicht der iberischen Ruinenstadt von Tossal de Manises (Alicante), während der Ausgrabungen im Jahr 1967.

72. Krieger mit Lanze. Kleine Bronze, die in Els Plans bei Villajoyosa (Alicante) gefunden wurde. Museo Arqueológico. Alicante.

73. Detail einer bemalten Vase aus Tossal de Manises (Alicante). Museo Arqueológico. Alicante.

74. Eine Ansicht des Fundlagers von Tossal de Manises (Alicante) des noch nicht ausgegrabenen Teils.

75. Drei Köpfe aus gebranntem Ton, kleines Format, aus dem Heiligtum von La Serreta de Alcoy. Museum von Alcoy. Ein Beispiel der Volkskunst.

76. Kleine weibliche Bronzefigur. Beispiel der Volkskunst mit aristokratischer Tradition.

77. Sitzende weibliche Figur. Nekropole von Cabecico del Tesoro (Murcia). Museo Arqueológico. Murcia.

78. Steinfigur aus dem Cerro de los Santos. Museo Arqueológico Nacional. Madrid.

79. Detail einer Steinfigur aus dem Cerro de los Santos. Museo Arqueológico Nacional. Madrid.

80. Ganzansicht der gleichen Figur aus dem Cerro de los Santos. Museo Arqueológico Nacional. Madrid.

81. Fragment der Vase «La Pepona» genannt, aus La Alcudia de Elche. Sammlung Ramos Folques. Eines der seltenen Exemplare der gemalten Volkskunst aus der Gruppe Elche-Archena.

82, 83. Zwei Vasen («Kalathos» oder «Zylinderhut») bemalt, aus San Miguel de Liria. Museo de Prehistoria. Valencia.

84, 85. Gesamtansicht und Detail der Vase «der Ziegen», aus der Nekropole von Cabecico del Tesoro (Murcia). Museo Arqueológico. Murcia.

86. Kalathos o sombrero de copa, pintado, de la necrópolis de la Albufereta de Alicante. Museo Arqueológico de Alicante.

87 a 90. Cuatro figuras de terracota del Santuario de La Serreta de Alcoy. Museo de Alcoy.

91. Jinete. Pequeño bronce, del Santuario de La Luz, Murcia. Museo de Arqueología de Barcelona.

92. Asnos. Relieves en piedra del Santuario del Cigarralejo de Mula, Murcia. Colección Emeterio Cuadrado, Madrid.

93. Caballo. Relieve en piedra del Santuario del Cigarralejo de Mula, Murcia. Colección Emeterio Cuadrado, Madrid.

94. Cabeza del mismo caballo.

95, 96. Caballos, relieves en piedra del Santuario del Cigarralejo de Mula, Murcia. Colección Emeterio Cuadrado, Madrid.

97. Pieza de orfebrería del tesoro de Tivisa.

98. Detalle de la parte superior de un pequeño bronce votivo.

99, 100. Detalle y conjunto de una terracota policromada, hallada en una tumba de la Albufereta de Alicante. Hombre y mujer con el huso simbolizando el Tiempo —vida y muerte— Museo Arqueológico de Alicante.

102. Figurita de terracota del Santuario de La Serreta de Alcoy. Últimas derivaciones del arte ibérico en época ya imperial romana. Museo de Alcoy.

103. Grifo de piedra. La Alcudia de Elche. Colección Ramos Folques.

104. Pieza de orfebrería del tesoro de Tivisa.

105. Tres bronces de los Santuarios de Sierra Morena, sin procedencia exacta. Antigua Colección Pérez Caballero, ahora en el Museo de Prehistoria de Valencia.

106. Oferente. Pequeño bronce del Santuario de Castillar de Santisteban, Jaén. Museo de Arqueología de Barcelona.

107. Pieza de orfebrería del tesoro de Tivisa.

108. Dos bronces de los Santuarios ibéricos de Despeñaperros. Antigua Colección Pérez Caballero. Museo de Prehistoria de Valencia.

109. Bronce de Castillar de Santisteban, Jaén. Museo de Arqueología de Barcelona.

110. Vista del cerro de Sagunto, donde se elevó la ciudad ibérica.

111. Vaso del poblado de San Miguel de Liria, Valencia. Museo de Prehistoria de Valencia.

112. Detalle de un vaso pintado de La Alcudia de Elche. Colección Ramos Folques, Elche.

113 a 116. Varios tipos de vasos pintados. Los dos de mayor tamaño corresponden al Tossal de Manises. Museo de Alicante y poblado del Cabezo del Tío Pío de Archena, Murcia. Museo de Arqueología de Barcelona.

117. Gran jarra con decoración geométrica pintada del Tossal de las Tenalles de Sidemunt.

118. Vaso del poblado de San Miguel de Liria. Museo de Prehistoria de Valencia.

119. Pieza de orfebrería del tesoro de Tivisa.

120. Anverso de una moneda de la ceca de Beligión (Aragón).

86. *Painted* kalathos *or «top hat», from the necropolis of La Albufereta, Alicante. Archaeological Museum of Alicante.*

87 to 90. *Four figures in terracotta, from the sanctuary of La Serreta de Alcoy. Museum of Alcoy.*

91. *Horseman. Small bronze from the sanctuary of La Luz, Murcia. Archaeological Museum of Barcelona.*

92. *Asses. Reliefs in stone from the sanctuary of El Cigarralejo de Mula, Murcia. Emeterio Cuadrado Collection, Madrid.*

93. *Horse. Relief in stone from the sanctuary of El Cigarralejo de Mula, Murcia. Emeterio Cuadrado Collection, Madrid.*

94. *Head of the same horse.*

95, 96. *Horses. Reliefs in stone from the sanctuary of El Cigarralejo de Mula, Murcia. Emeterio Cuadrado Collection, Madrid.*

97. *Piece of metalwork from the treasure of Tivisa.*

98. *Detail of the upper part of a small votive bronze.*

99, 100. *Detail and whole of a polychrome terracotta piece, discovered in a tomb in La Albufereta, Alicante. Man and woman with the spindle symbolizing Time-life and death. Archaeological Museum of Alicante.*

101. *Fragment of architectural relief. Museum of Cordova.*

102. *Terracotta figurine from the sanctuary of La Serreta de Alcoy. Last derivations of Iberian art, lingering on into the period of the Roman Empire. Museum of Alcoy.*

103. *Stone griffin. La Alcudia de Elche. Ramos Folques Collection.*

104. *Piece of metalwork from the treasure of Tivisa.*

105. *Three bronzes from the sanctuaries of the Sierra Morena, their exact point of origin unknown. From the former Pérez Caballero Collection, now in the Prehistory Museum of Valencia.*

106. *Offerer. Small bronze from the sanctuary of Castillar de Santisteban, Jaén. Archaeological Museum of Barcelona.*

107. *Piece of metalwork from the treasure of Tivisa.*

108. *Two bronzes from the Iberian sanctuaries of Despeñaperros. Former Pérez Caballero Collection. Prehistory Museum of Valencia.*

109. *Bronze from Castillar de Santisteban, Jaén. Archeological Museum of Barcelona.*

110. *View of the hill of Sagunto, the site of the Iberian city.*

111. *Vase from the settlement of San Miguel de Liria, Valencia. Prehistory Museum of Valencia.*

112. *Detail of a painted vase from La Alcudia de Elche. Ramos Folques Collection, Elche.*

113 to 116. *Various types of painted vases. The two of greatest size are from El Tossal de Manises. Museum of Alicante and settlement of El Cabezo del Tío Pío, Archena (Murcia). Archaeological Museum of Barcelona.*

117. *Large jar with painted geometrical decoration, from El Tossal de las Tenalles de Sidemunt.*

118. *Vase from the settlement of San Miguel de Liria. Prehistory Museum of Valencia.*

119. *Piece of metalwork from the treasure of Tivisa.*

120. *Obverse of a coin from the mint of Beligión (Aragon).*

86. Kalathos ou chapeau haut de forme, peint, de la nécropole de la Albufereta d'Alicante. Musée Archéologique d'Alicante.

87 à 90. Quatre figures de terre cuite du Sanctuaire de La Serreta d'Alcoy. Musée d'Alcoy.

91. Cavalier. Petit bronze, du Sanctuaire de La Luz, Murcie. Musée d'Archéologie de Barcelone.

92. Anes. Reliefs en pierre du Sanctuaire du Cigarralejo de Mula, Murcie. Collection Emeterio Cuadrado, Madrid.

93. Cheval. Relief de pierre du Sanctuaire du Cigarralejo de Mula, Murcie. Collection Emeterio Cuadrado, Madrid.

94. Tête du même cheval.

95, 96. Chevaux, reliefs en pierre du Sanctuaire du Cigarralejo de Mula, Murcie. Collection Emeterio Cuadrado, Madrid.

97. Pièce d'orfèvrerie du trésor de Tivisa.

98. Détail de la partie supérieure d'un petit bronze votif.

99, 100. Détail et ensemble d'une terre cuite polychromée, trouvée dans une tombe de la Albufereta d'Alicante. Homme et femme avec le fuseau symbolisant le Temps —vie et mort—. Musée Archéologique d'Alicante.

101. Fragment de relief architectural. Musée de Cordoue.

102. Figurine de terre cuite du Sanctuaire de La Serreta d'Alcoy. Dernières dérivations de l'art ibérique à une époque déjà impériale romaine. Musée, d'Alcoy.

103. Griffon de pierre. La Alcudia d'Elche. Collection Ramos Folqués.

104. Pièce d'orfèvrerie du Trésor de Tivisa.

105. Trois bronzes des Sanctuaires de Sierra Morena, sans provenance exacte. Ancienne Collection Pérez Caballero, maintenant au Musée de Préhistoire de Valencia.

106. Offrant. Petit bronze du Sanctuaire de Castillar de Santisteban, Jaén. Musée d'Archéologie de Barcelone.

107. Pièce d'orfèvrerie du trésor de Tivisa.

108. Deux bronzes des Sanctuaires ibériques de Despeñaperros. Ancienne Collection Pérez Caballero. Musée de Préhistoire de Valencia.

109. Bronze de Castillar de Santisteban, Jaén. Musée d'Archéologie de Barcelone.

110. Vue de la colline de Sagunto, où exista la ville ibérique.

111. Vase de la localité de San Miguel de Liria. Valencia. Musée de Préhistoire de Valencia.

112. Détail d'un vase peint de la Alcudia d'Elche. Collection Ramos Folqués, Elche.

113 à 116. Divers types de vases peints. Les deux plus grands correspondent au Tossal de Manises. Musée d'Alicante et localité du Cabezo del Tío Pío d'Archena, Murcie. Musée d'Archéologie de Barcelone.

117. Grande jarre avec décoration géométrique peinte du Tossal de las Tenalles de Sidemunt.

118. Vase de la localité de San Miguel de Liria. Musée de Préhistoire de Valencia.

119. Pièce d'orfèvrerie du trésor de Tivisa.

120. Avers d'une monnaie de Beligión (Aragón).

86. Bemalter Kalathos oder Zylinderhut, aus der Nekropole von Albufereta de Alicante. Museo Arqueológico. Alicante.

87 bis 90. Vier Terrakotta-Figuren aus dem Heiligtum von La Serreta de Alcoy. Museum von Alcoy.

91. Reiter. Kleine Bronze aus dem Heiligtum von La Luz (Murcia). Museo de Arqueología. Barcelona.

92. Esel. Steinrelief aus dem Heiligtum von Cigarralejo de Mula (Murcia). Sammlung Emeterio Cuadrado. Madrid.

93. Pferd. Steinrelief aud dem Heiligtum von Cigarralejo de Mula (Murcia). Sammlung Emeterio Cuadrado. Madrid.

94. Kopf des gleichen Pferdes.

95, 96. Pferde. Steinreliefs aus dem Heiligtum von Cigarralejo de Mula (Murcia). Sammlung Emeterio Cuadrado. Madrid.

97. Ein Stück Goldschmiedearbeit aus dem Schatz von Tivisa.

98. Detail des Oberteils einer kleinen Votivgabe aus Bronze.

99, 100. Detail und Gesamtansicht einer buntbemalten Terrakotta, die in einem Grab von Albufereta de Alicante gefunden wurde. Mann und Frau mit der Spindel, die das Symbol der Zeit —Leben und Tod— darstellt. Museo Arqueológico. Alicante.

101. Fragment eines architektonischen Reliefs. Museum von Córdoba.

102. Kleine Terrakotta-Figur aus dem Heiligtum von La Serreta de Alcoy. Letzte Ableitungen der Iberischen Kunst in der Zeit des Römischen Imperiums. Museum von Alcoy.

103. Greif aus Stein. La Alcudia de Elche. Sammlung Ramos Folqués.

104. Goldschmiedestück aus dem Schatz von Tivisa.

105. Drei Bronzen aus den Heiligtümern der Sierra Morena (Andalusien) ohne genaue Herkunftsangabe. Frühere Sammlung von Pérez Caballero, jetzt im Museo de Prehistoria von Valencia.

106. Opfernde. Kleine Bronze aus dem Heiligtum von Castillar de Santisteban (Jaén). Museo de Arqueología. Barcelona.

107. Goldschmiedestück aus dem Schatz von Tivisa.

108. Zwei Bronzen aus den iberischen Heiligtümern von Despeñaperros. Frühere Sammlung von Pérez Caballero. Museo de Prehistoria. Valencia.

109. Bronze aus Castillar de Santisteban (Jaén). Museo de Arqueología. Barcelona.

110. Ansicht vom Cerro de Sagunto, auf dem die iberische Stadt war.

111. Vase aus der Siedlung von San Miguel de Liria (Valencia). Museo de Prehistoria. Valencia.

112. Detail einer bemalten Vase aus La Alcudia de Elche. Sammlung Ramos Folqués. Elche.

113 bis 116. Verschiedene Arten bemalter Vasen. Die beiden grösseren stammen aus Tossal de Manises, im Museum von Alicante. Die anderen kommen aus der Siedlung von Cabezo del Tío Pío de Archena (Murcia). Museo de Arqueología. Barcelona.

117. Grosser Krug mit gemalter geometrischer Dekoration aus Tossal de las Tenalles de Sidemunt.

118. Vase aus der Siedlung von San Miguel de Liria. Museo de Prehistoria. Valencia.

119. Goldschmiedestück aus dem Schatz von Tivisa.

120. Vorderseite einer Münze aus der Ceca de Beligión (Aragón).

121. Anverso de una moneda de la ceca de Undikesken (Ampurias). Gabinete Numismático de Cataluña, Barcelona.

122. Anverso de una moneda ibérica. Gabinete Numismático de Cataluña, Barcelona.

123. Figura femenina. Terracota de la necrópolis de la Albufereta de Alicante. Museo Arqueológico de Alicante.

124. Cabeza de león. Escultura en piedra. Museo de Córdoba.

125. Toro en piedra, procedente de los alrededores de Sagunto. Museo de Sagunto.

126. León de piedra procedente de Castro del Río, Córdoba. Museo Arqueológico de Córdoba.

127. Cabeza de leona, procedente de La Alcudia de Elche. Colección Ramos Folques, Elche.

128. Cuerpo de león al que faltan la cabeza y extremidades. Museo de Córdoba.

129. Vista en escorzo de león procedente de Nueva Carteya. Museo Arqueológico de Córdoba.

130. León procedente de Nueva Carteya. Museo Arqueológico de Córdoba.

131. Detalle de la cabeza de león de Nueva Carteya del Museo Arqueológico de Córdoba (figura completa en página 227).

132. La Dama de Elche.

133. Fragmento de cabeza de toro, de piedra, procedente del poblado de Cabezo Lucero, provincia de Alicante. Museo Arqueológico de Alicante.

134. Detalle de la cabeza de una figurita de bronce procedente de los Santuarios de Despeñaperros. Museo de Arqueología de Barcelona.

135. Museo Arqueológico de Córdoba. Vista de la sala de la escultura animalística ibérica.

136. La Dama de Elche.

121. *Obverse of a coin from the mint of Undikesken (Ampurias). Numismatic Collection of Catalonia, Barcelona.*

122. *Obverse of an Iberian coin. Numismatic Collection of Catalonia, Barcelona.*

123. *Female figure. Terracotta from the necropolis of La Albufereta, Alicante. Archaeological Museum of Alicante.*

124. *Head of a lion. Sculpture in stone. Museum of Cordova.*

125. *Figure of a bull in stone, from the surroundings of Sagunto. Museum of Sagunto.*

126. *Stone lion, from Castro del Río, Cordova. Archaeological Museum of Cordova.*

127. *Head of a lioness, from La Alcudia de Elche. Ramos Folques Collection, Elche.*

128. *Body of a lion, but with the head and the extremities missing. Museum of Cordova.*

129. *Foreshortened view of the lion from Nueva Carteya. Archaeological Museum of Cordova.*

130. *Figure of a lion from Nueva Carteya. Archaeological Museum of Cordova.*

131. *Detail of the lion's head from Nueva Carteya which is in the Archaeological Museum of Cordoba (the whole figure can be found en page 227).*

132. *The Lady of Elche.*

133. *Fragment of the head of a bull in stone, from the settlement of Cabezo Lucero, in the province of Alicante. Archaeological Museum of Alicante.*

134. *Detail of the head of a bronze figurine, from the sanctuaries of Despeñaperros. Archaeological Museum of Barcelona.*

135. *Archaeological Museum of Cordova. View of the room which displays the Iberian animal sculptures.*

136. *The Lady of Elche.*

121. Avers d'une monnaie d'Undikesken (Ampurias). Cabinet Numismatique de Catalogne, Barcelone.

122. Anvers d'une monnaie ibérique. Cabinet Numismatique de Catalogne, Barcelone.

123. Figure féminine. Terre cuite de la nécropole de la Albufereta d'Alicante. Musée Archéologique d'Alicante.

124. Tête de lion. Sculpture de pierre. Musée de Cordoue.

125. Taureau de pierre, provenant des environs de Sagunto. Musée de Sagunto.

126. Lion de pierre provenant de Castro del Río, Cordoue. Musée Archéologique de Cordoue.

127. Tête de lionne, provenant de la Alcudia d'Elche. Collection Ramos Folques, Elche.

128. Corps de lion auquel manquent la tête et les membres. Musée de Cordoue.

129. Vue en perspective du lion provenant de Nueva Carteya. Musée Archéologique de Cordoue.

130. Lion provenant de Nueva Carteya. Musée Archéologique de Cordoue.

131. Détail de la tête du lion de Nueva Carteya du Musée Archéologique de Cordoue (figure complète à la page 227).

132. La Dame d'Elche.

133. Fragment de tête de taureau, en pierre, provenant de la localité de Cabezo Lucero, province d'Alicante. Musée Archeologique d'Alicante.

134. Détail de la tête d'une figurine de bronze provenant des Sanctuaires de Despeñaperros. Musée d'Archéologie de Barcelone.

135. Musée Archéologique de Cordoue. Vue de la salle de sculptures d'animaux ibériques.

136. La Dame d'Elche.

121. Vorderseite einer Münze aus der Ceca de Undikesken (Ampurias). Gabinete Numismático de Cataluña. Barcelona.

122. Vorderseite einer iberischen Münze. Gabinete Numismático de Cataluña. Barcelona.

123. Weibliche Figur. Terrakotta aus der Nekropole von La Albufereta de Alicante. Museo Arqueológico. Alicante.

124. Löwenkopf. Steinskulptur. Museum von Córdoba.

125. Stier aus Stein, stammt aus der Gegend von Sagunto. Museum von Sagunto.

126. Löwe aus Stein, stammt aus Castro del Río (Córdoba). Museo Arqueológico. Córdoba.

127. Kopf einer Löwin, stammt aus La Alcudia de Elche. Sammlung Ramos Folques. Elche.

128. Löwenkörper dem Kopf und Beine fehlen. Museum von Córdoba.

129. Ansicht in schiefer Stellung des Löwen aus Nueva Carteya. Museo Arqueológico. Córdoba.

130. Löwe aus Nueva Carteya. Museo Arqueológico. Córdoba.

131. Detail des Löwenkopfes aus Nueva Carteya im Museo Arqueológico von Córdoba (die ganze Figur ist auf Seite 227).

132. La Dama de Elche.

133. Fragment des Stierkopfes aus Stein, aus der Siedlung von Cabezo de Lucero, Provinz Alicante. Museo Arqueológico. Alicante.

134. Detail des Kopfes einer kleinen Bronzefigur aus den Heiligtümern von Despeñaperros. Museo de Arqueología. Barcelona.

135. Museo Arqueológico von Córdoba. Ansicht des Saales der iberischen Tierskulpturen.

136. La Dama de Elche.

246

a) VISIONES GENERALES SOBRE LA CIVILIZACIÓN IBÉRICA

Salvo el libro de A. ARRIBAS *Los Iberos*, Barcelona, 1965, publicado primero en inglés *The Iberians*, Londres, las visiones de conjunto sobre la civilización ibérica, se hallan en historias generales. A nivel del conjunto peninsular conviene citar:

P. BOSCH GIMPERA, *Etnologia de la Península Ibèrica*. Barcelona, 1932 (en catalán) y del mismo autor *La formación de los Pueblos de España*. México, 1945.

L. PERICOT, *Historia de España* (Ed. Gallach). Barcelona, 1942, tomo I y del mismo, más breve, *La España primitiva*.

J. CARO BAROJA, *Los pueblos de España*. Barcelona, 1946.

Tratado en forma más extensa, en la *Historia de España* (Ed. Espasa-Calpe, dirigida por R. Menéndez Pidal), se hallan el capítulo de J. MALUQUER DE MOTES, *Pueblos Ibéricos* vol. I, 3 (Madrid, 1954).

Para Cataluña:

M. TARRADELL, *Les arrels de Catalunya* (en catalán). Barcelona, 1963.

Para el País Valenciano:

M. TARRADELL, *Historia del País Valencià*, I. Barcelona, 1965 (en catalán).

Para el conocimiento geográfico del territorio ibérico en la antigüedad:

A. SCHULTEN, *Iberische landeskunde. Geographie des antiken Spanien*. Strasburgo, 1955 (hay traducción castellana, Madrid, 1959).

Para las fuentes escritas es básica la colección *Fontes hispaniae antiquae*, editada por la Universidad de Barcelona bajo la dirección de A. SCHULTEN, P. BOSCH GIMPERA y L. PERICOT.

Problemática general: P. BOSCH GIMPERA, *Los Iberos*. Cuadernos de historia de España (Buenos Aires), IX (1948); D. FLETCHER, *Problemas de la Cultura Ibérica*. Valencia, 1960.

b) ASPECTOS CONCRETOS

Para la cuestión de lengua y escritura:

M. GÓMEZ MORENO ha reunido varios de sus trabajos en *Misceláneas. Historia, Arte, Arqueología. I serie: La Antigüedad*. Madrid, 1949.

J. CARO BAROJA, *La escritura en la España Prerromana*, en *Historia de España*, dirigida por Menéndez Pidal (citada).

A. TOVAR, *Léxico de las inscripciones ibéricas*, en Homenaje a Menéndez Pidal, II. Madrid, 1951.

Para la moneda:

A. VIVES, *La moneda hispánica*. Madrid, 1924. Un resumen muy útil en la siguiente obra:

A. BELTRÁN, *Las monedas hispánicas antiguas*. Madrid 1954.

Para la religión:

J. M. BLÁZQUEZ, *Religiones primitivas de España. I. Fuentes literarias y epigráficas*. Madrid, 1962.

Armamento:

H. SANDARS, *The weapons of the iberians*. Archaeologia, LXIV (1913).

a) GENERAL WORKS ON IBERIAN CIVILIZATION

Except for the work of A. ARRIBAS, *Los Iberos*, Barcelona, 1965, published first in English as *The Iberians*, London, overall studies of Iberian civilization are to be found in works of general history. With regard to the Peninsula as a whole we should mention:

P. BOSCH GIMPERA, *Etnologia de la Península Ibèrica*. Barcelona, 1932 (in Catalan) and, by the same author, *La formación de los Pueblos de España*. Mexico, 1945.

L. PERICOT, *Historia de España* (Ed. Gallach). Barcelona, 1942, volume I, and, by the same author, a shorter work, *La España primitiva*.

J. CARO BAROJA, *Los pueblos de España*. Barcelona, 1946.

For a more extensive treatment, in the *Historia de España* (Ed. Espasa-Calpe, directed by R. Menéndez Pidal), see the chapter by J. MALUQUER DE MOTES, *Pueblos Ibéricos* volume I, 3 (Madrid, 1954).

For Catalonia:

M. TARRADELL, *Les arrels de Catalunya* (in Catalan), Barcelona, 1963.

For Valencia:

M. TARRADELL, *Historia del País Valencià* (in Catalan), I, Barcelona, 1965.

For geographical knowledge of the Iberian territories in ancient times:

A. SCHULTEN, *Iberische landeskunde. Geographie des antiken Spanien*. Strasbourg, 1955 (there is a Spanish translation, Madrid, 1959).

Of fundamental importance for the written sources is the collection *Fontes hispaniae antiquae*, published by the University of Barcelona under the direction of A. SCHULTEN, P. BOSCH GIMPERA and L. PERICOT.

General problems: P. BOSCH GIMPERA, *Los Iberos*. Cuadernos de Historia de España (Buenos Aires), IX (1948); D. FLETCHER, *Problemas de la Cultura Ibérica*. Valencia, 1960.

b) CONCRETE ASPECTS

For questions of language and writing:

M. GÓMEZ MORENO has compiled several of his works in *Misceláneas. Historia, Arte, Arqueología. I serie: La Antigüedad*. Madrid, 1949.

J. CARO BAROJA, *La escritura en la España Prerromana*, in the *Historia de España*, directed by R. Menéndez Pidal (op. cit.).

A. TOVAR, *Léxico de las inscripciones ibéricas*, in Homenaje a Menéndez Pidal, II. Madrid, 1951.

For coins:

A. VIVES, *La moneda hispánica*. Madrid, 1924. There is a very useful summary on the following work:

A. BELTRÁN, *Las monedas hispánicas antiguas*. Madrid, 1954.

For religion:

J. M. BLÁZQUEZ, *Religiones primitivas de España. I. Fuentes literarias y epigráficas*. Madrid, 1962.

For armour:

H. SANDARS, *The weapons of the iberians*. Archaeologia, LXIV (1913).

BIBLIOGRAPHIE

a) APERÇUS GÉNÉRAUX SUR LA CIVILISATION IBÉRIQUE

Sauf le livre de A. ARRIBAS, *Los Iberos*, Barcelone, 1965, publié d'abord en anglais, *The Iberians*, Londres, les aperçus d'ensemble sur la civilisation ibérique se trouvent dans des ouvrages d'histoire générale. Mentionnons, au niveau de l'ensemble péninsulaire :

P. BOSCH GIMPERA, *Etnologia de la Península Ibèrica*, Barcelone, 1932 (en catalán), et, du même auteur, *La formación de los pueblos de España*. Mexico, 1945.

L. PERICOT, *Historia de España* (Ed. Gallach), Barcelone, 1942, tome I, et, du même auteur, plus réduit, *La España primitiva*.

J. CARO BAROJA, *Los pueblos de España*, Barcelone, 1946.

Traité plus amplement, dans *Historia de España* (Ed. Espasa-Calpe, dirigée par R. Menéndez Pidal), se trouve le chapitre de J. MALUQUER DE MOTES, *Pueblos Ibéricos* vol. I, 3 (Madrid, 1954).

Pour la Catalogne :

M. TARRADELL, *Les arrels de Catalunya* (en catalán), Barcelone, 1963.

Pour le Pays Valencien :

M. TARRADELL, *Historia del País Valencià*, I. Barcelone, 1965 (en catalán).

Pour la connaissance géographique du territoire ibérique dans l'antiquité :

A. SCHULTEN, *Iberische landeskunde. Geographie des antiken Spanien*. Strasbourg, 1955 (il existe une traduction au castillan, Madrid, 1959).

La collection *Fontes hispaniae antiquae*, éditée par l'Université de Barcelone sous la direction de A. SCHULTEN, P. BOSCH GIMPERA et L. PERICOT, est fondamentale en ce qui concerne les sources écrites.

Problématique générale : P. BOSCH GIMPERA, *Los Iberos*. Cahiers d'Histoire d'Espagne (Buenos Aires), IX (1948) ; D. FLETCHER, *Problemas de la Cultura Ibérica*. Valence, 1960.

b) ASPECTS CONCRETS

En ce qui concerne la langue et l'écriture :

M. GÓMEZ MORENO a réuni plusieurs de ses travaux dans *Misceláneas. Historia, Arte, Arqueología. I serie : La Antigüedad*. Madrid, 1949.

J. CARO BAROJA, *La escritura en la España Prerromana*, dans *l'Histoire d'Espagne*, dirigée par Menéndez Pidal (déjà mentionnée).

A. TOVAR, *Léxico de las inscripciones ibéricas*, en Hommage à Menéndez Pidal, II. Madrid, 1951.

En ce qui concerne la monnaie :

A. VIVES, *La moneda hispánica*. Madrid, 1924. Un résumé très utile dans l'oeuvre suivante :

A. BELTRÁN, *Las monedas hispánicas antiguas*. Madrid, 1954.

En ce qui concerne la religion :

J. M. BLÁZQUEZ, *Religiones primitivas de España. I. Fuentes literarias y epigráficas*. Madrid, 1962.

Armes :

H. SANDARS, *The weapons of the iberians*, Archaeologia, LXIV (1913).

BIBLIOGRAPHIE

a) ALLGEMEINER ÜBERBLICK DER IBERISCHEN ZIVILISATION

Ausser dem Buch von A. ARRIBAS *Los Iberos*, Barcelona, 1965, das erst in English *The Iberians*, herausgekommen ist, London, findet man den Gesamtüberblick der iberischen Zivilisation nur in den allgemeinen Geschichtsbüchern. Für die gesamte Iberische Halbinsel, muss folgende Literatur angeführt werden :

P. BOSCH GIMPERA, *Etnologia de la Península Ibèrica*. Barcelona, 1932 (in katalanisch) und vom gleichen Autor *La formación de los Pueblos de España*. México, 1945.

L. PERICOT, *Historia de España* (Ed. Gallach). Barcelona, 1942, Band I, und vom gleichen Autor, kurzgefasst, *La España primitiva*.

J. CARO BAROJA, *Los pueblos de España*. Barcelona, 1946.

Eine ausgedehntere Abhandlung findet man in der *Historia de España* (Ed. Espasa-Calpe, unter der Leitung von R. Menéndez Pidal), im Kapitel von J. MALUQUER DE MOTES, *Pueblos Ibéricos* Band I, 3 (Madrid, 1954).

Für Katalonien :

M. TARRADELL, *Les arrels de Catalunya* (in katalanisch). Barcelona, 1963.

Für das Valencianische Land :

M. TARRADELL, *Historia del País Valencià*, Bd. I. Barcelona, 1965 (in katalanisch).

Zur geographischen Kenntnis des iberischen Gebietes im Altertum :

A. SCHULTEN, *Iberische landeskunde. Geographie des antiken Spanien*. Strassburg, 1955 (es gibt eine spanische Übersetzung, Madrid, 1959).

Für den geschriebenen Quellennachweis ist die Reihe *Fontes hispaniae antiquae* massgebend, die von der Universität Barcelona, unter der Leitung von A. SCHULTEN, P. BOSCH GIMPERA und L. PERICOT, herausgegeben wurde.

Allgemeine Problematik : P. BOSCH GIMPERA, *Los Iberos*. Hefte der Historia de España (Buenos Aires), IX (1948) ; D. FLETCHER, *Problemas de la Cultura Ibérica*. Valencia, 1960.

b) KONKRETE ASPEKTE

Für die Fragen über Sprache und Schrift :

Hat M. GÓMEZ MORENO verschiedene Arbeiten zusammengefasst in *Misceláneas, Geschichte, Kunst, Archäologie*. I Reihenfolge : *La Antigüedad*. Madrid, 1949.

J. CARO BAROJA, *La escritura en la España Prerromana*, in *Historia de España*, unter der Leitung von Menéndez Pidal (oben genannt).

A. TOVAR, *Léxico de las inscripciones ibéricas*, zu Ehren von Menéndez Pidal, II. Madrid, 1951.

Für die Münzen :

A. VIVES, *La moneda hispánica*. Madrid, 1924. Eine sehr nützliche Zusammenfassung findet man im nächsten Werk :

A. BELTRÁN, *Las monedas hispánicas antiguas*. Madrid, 1954.

c) ARTE: VISIONES GENERALES

Aparte de los capítulos correspondientes de las obras citadas en el apartado *a)* hay pocos ensayos de conjunto. Señalemos especialmente A. García y Bellido, *Arte ibérico*, en *Historia de España* (Ed. Espasa Calpe, dirigida por Menéndez Pidal), III. Madrid, 1946. Y del mismo, el capítulo correspondiente en *Ars hispaniae, I.* Madrid, 1946.

d) ARQUITECTURA

A. García y Bellido, *La Arquitectura entre los iberos*. Madrid, 1945.

e) ESCULTURA EN PIEDRA

A. García y Bellido, *La Dama de Elche y el conjunto de piezas reingresadas en España en 1941*. Madrid, 1942.

A. Ramos Folques, *La Dama de Elche. Nuevas aportaciones a su estudio*. AEArq. 1944.

A. García y Bellido, *La bicha de Balazote*. Arch. Esp. de Arte y Arqueol. 21 (1931).

A. Fernández de Avilés, *La escultura del Cerro de los Santos. La colección de los PP. Escolapios de Yecla*, AEArq. (1948) así como también *Escultura del Cerro de los Santos. La Colección Velasco (Museo Antropológico) en el Museo Arqueológico Nacional*, AEArq. XVI.

A. García y Bellido, *Arte griego provincial. La figura sedente de Verdolay (Murcia)*. AEArq. XIV (1940-41).

A. Fernández de Avilés, *Cerro de los Santos (1.ª campaña. 1962)*. Excavaciones arqueológicas en España, 55. Madrid, 1967.

E. A. Llobregat, *La escultura ibérica en piedra del País Valenciano. Bases para un estudio crítico contemporáneo del Arte Ibérico*. Archivo de Arte Valenciano, XXXVII (1966).

A. García y Bellido, *Una cabeza del estilo de las Korai áticas*, AEArq. XI (1935).

E. Cuadrado, *Excavaciones en el santuario ibérico del Cigarralejo (Mula, Murcia)*. Informes y Memorias de la Comisaría General de Excavaciones, núm. 21. Madrid, 1950.

f) PEQUEÑOS BRONCES

R. Lantier, *Bronzes Votifs Ibériques*. París, 1935.

F. Álvarez Ossorio, *Catálogo de los exvotos de bronce ibéricos del Museo Arqueológico Nacional*. Madrid, 1941.

I. Calvo y J. Cabré, *Excavaciones en la cueva y collado de los Jardines (Santa Elena, Jaén)*. M. J. S. E. A. 1918 y 1919.

L. Lantier y J. Cabré, *El santuario ibérico de Castillar de Santisteban*. Comisión de Investigaciones Paleontológicas y Prehistóricas. Madrid, 1917.

c) ART: GENERAL WORKS

Apart from the corresponding chapters of the works already quoted in section *a)*, there are few overall works. Special mention should be made of A. García y Bellido, *Arte ibérico*, in *Historia de España* (Ed. Espasa-Calpe, directed by R. Menéndez Pidal), III. Madrid, 1946. And, by the same author, the corresponding chapter in *Ars hispaniae, I.* Madrid, 1946.

d) ARCHITECTURE

A. García y Bellido, *La Arquitectura entre los iberos*. Madrid, 1945.

e) SCULPTURE IN STONE

A. García y Bellido, *La Dama de Elche y el conjunto de piezas reingresadas en España en 1941*. Madrid, 1942.

A. Ramos Folques, *La Dama de Elche. Nuevas aportaciones a su estudio,* AEArq. 1944.

A. García y Bellido, *La bicha de Balazote*, Arch. Esp. de Arte y Arqueol. 21 (1931).

A. Fernández de Avilés, *La escultura del Cerro de los Santos en la colección de los PP. Escolapios de Yecla*, AEArq. (1948), as also *Escultura del Cerro de los Santos. La Colección Velasco (Museo Antropológico) en el Museo Arqueológico Nacional*, AEArq. XVI.

A. García y Bellido, *Arte Griego provincial. La figura sedente de Verdolay (Murcia)*. AEArq. XIV (1940-41).

A. Fernández de Avilés, *Cerro de los Santos (1.ª campaña. 1962)*. Excavaciones arqueológicas en España. 55, Madrid, 1967.

E. A. Llobregat, *La escultura ibérica en piedra del País Valenciano. Bases para un estudio crítico contemporáneo del Arte Ibérico*. Archivo de Arte Valenciano, XXXVII (1966).

A. García y Bellido, *Una cabeza del estilo de las Korai áticas*, AEArq. XI (1935).

E. Cuadrado, *Excavaciones en el santuario ibérico del Cigarralejo (Mula, Murcia)*. Informes y Memorias de la Comisaría General de Excavaciones, n.º 21. Madrid, 1950.

f) SMALL BRONZES

R. Lantier, *Bronzes Votifs Ibériques*. Paris, 1935.

F. Álvarez Ossorio, *Catálogo de los exvotos de bronce ibéricos del Museo Arqueológico Nacional*. Madrid, 1941.

I. Calvo and J. Cabré, *Excavaciones en la cueva y collado de los Jardines (Santa Elena, Jaén)*. M. J. S. E. A. 1918 and 1919.

L. Lantier and J. Cabré, *El santuario ibérico de Castillar de Santisteban*. Comisión de Investigaciones Paleontológicas y Prehistóricas. Madrid, 1917.

c) ART: APERÇUS GÉNÉRAUX

Outre les chapitres correspondants des ouvrages mentionnés en *a)*, il existe peu d'essais d'ensemble. Signalons en particulier A. García y Bellido, *Arte ibérico*, dans Histoire d'Espagne (Ed. Espasa Calpe, dirigée par Menéndez Pidal), III. Madrid, 1946, et, du même auteur, le chapitre correspondant de *Ars hispaniae, I.* Madrid, 1946.

d) ARCHITECTURE

A. García y Bellido, *La Arquitectura entre los iberos.* Madrid, 1945.

e) SCULPTURE EN PIERRE

A. García y Bellido, *La Dama de Elche y el conjunto de piezas reingresadas en España en 1941.* Madrid, 1942.

A. Ramos Folques, *La Dama de Elche. Nuevas aportaciones a su estudio.* AEArq. 1944.

A. García y Bellido, *La bicha de Balazote.* Arch. Esp. d'Art et d'Archéol. 21 (1931).

A. Fernández de Avilés, *La escultura del Cerro de los Santos. La colección de los PP. Escolapios de Yecla,* AEArq. (1948), et aussi *Escultura del Cerro de los Santos. La Colección de Velasco (Museo Antropológico) en el Museo Arqueológico Nacional,* AEArq. XVI.

A. García y Bellido, *Arte griego provincial. La figura sedente de Verdolay (Murcia).* AEArq. XIV (1940-41).

A. Fernández de Avilés, *Cerro de los Santos (1.ª campaña. 1962).* Excavations archéologiques en Espagne, 55. Madrid, 1967.

E. A. Llobregat, *La escultura ibérica en piedra del País Valenciano. Bases para un estudio crítico contemporáneo del Arte Ibérico.* Archive d'Art Valencien, XXXVII (1966).

A. García y Bellido, *Una cabeza del estilo de las Korai áticas,* AEArq. XI (1935).

E. Cuadrado, *Excavaciones en el santuario ibérico del Cigarralejo (Mula, Murcia).* Rapports et Mémoires du Commissariat Général d'Excavations, n.º 21. Madrid, 1950).

f) PETITS BRONZES

R. Lantier, *Bronzes Votifs Ibériques.* Paris, 1935.

F. Alvarez Ossorio, *Catálogo de los exvotos de bronce ibéricos del Museo Arqueológico Nacional.* Madrid, 1941.

I. Calvo et J. Cabré, *Excavaciones en la cueva y collado de los Jardines (Santa Elena, Jaén).* M. J. S. E. A. 1918 et 1919.

L. Lantier et J. Cabré, *El santuario ibérico de Castillar de Santisteban.* Commission de Recherches Paléontologiques et Préhistoriques. Madrid, 1917.

Für die Religion:

J. M. Blázquez, *Religiones primitivas de España. Bd. I. Fuentes literarias y epigráficas.* Madrid, 1962.

Bewaffnung:

H. Sandars, *The weapons of the iberians,* Archaeologia, LXIV (1913).

c) KUNST: ALLGEMEINER ÜBERBLICK

Abgesehen von den entsprechenden Kapiteln in den unter *a)* genannten Werken, gibt es wenig Gesamtessays. Ganz besonders verweisen wir auf A. García y Bellido, *Arte ibérico,* in *Historia de España* (Ed. Espasa-Calpe, geleitet von Menéndez Pidal), Bd. III. Madrid, 1946. Und vom gleichen Autor das entsprechende Kapitel in *Ars hispaniae,* Bd. I. Madrid, 1946.

d) ARCHITEKTUR

A. García y Bellido, *La Arquitectura entre los iberos.* Madrid, 1945.

e) BILDHAUEREI IN STEIN

A. García y Bellido, *La Dama de Elche y el conjunto de piezas reingresadas en España en 1941.* Madrid, 1942.

A. Ramos Folques, *La Dama de Elche. Nuevas aportaciones a su estudio.* AEArq. 1944.

A. García y Bellido, *La bicha de Balazote.* Arch. Esp. de Arte y Arqueol. 21 (1931).

A. Fernández de Avilés, *La escultura del Cerro de los Santos. La Colección de los PP. Escolapios de Yecla,* AEArq. (1948), sowie *Escultura del Cerro de los Santos. La Colección Velasco (Museo Antropológico) en el Museo Arqueológico Nacional,* AEArq. XVI.

A. García y Bellido, *Arte griego provincial. La figura sedente de Verdolay (Murcia).* AEArq. XIV (1940-41).

A. Fernández de Avilés, *Cerro de los Santos (1. Kampagne, 1962).* Excavaciones arqueológicas en España, 55. Madrid, 1967.

E. A. Llobregat, *La escultura ibérica en piedra del País Valenciano. Bases para un estudio crítico contemporáneo del Arte Ibérico.* Archivo de Arte Valenciano, XXXVII (1966).

A. García y Bellido, *Una cabeza del estilo de las Korai áticas,* AEArq. XI (1935).

E. Cuadrado, *Excavaciones en el santuario ibérico del Cigarralejo (Mula, Murcia).* Informes y Memorias de la Comisaría General de Excavaciones, n.º 21. Madrid, 1950.

f) KLEINE BRONZEN

R. Lantier, *Bronzes Votifs Ibériques.* Paris, 1935.

F. Álvarez Ossorio, *Catálogo de los exvotos de bronce ibéricos del Museo Arqueológico Nacional.* Madrid, 1941.

g) TERRACOTAS

C. Visedo, *Excavaciones en la Serreta de Alcoy.* M. J. S. E. A.

M. Tarradell, *Catálogo de la colección de terracotas del santuario ibérico de la Serreta de Alcoy* (en prensa).

h) CERÁMICA

P. Bosch Gimpera, *El problema de la cerámica ibérica.* Madrid, 1915.

J. Cabré, *Cerámica de Azaila.* Corpus Vasorum Hispanorum, I. Madrid, 1944.

I. Ballester et alia, *Cerámica del cerro de San Miguel de Liria.* Corpus Vasorum Hispanorum, II. Madrid, 1954.

M. Tarradell, *Avance al catálogo de formas de la cerámica ibérica* (en prensa).

Lista de las revistas o series citadas abreviadamente:

AEArq.   *Archivo español de Arqueología.* Madrid.
A.I.E.C.   *Anuari de l'Institut d'Estudis Catalans.* Barcelona.
A.P.L.   *Archivo de Prehistoria Levantina.* Valencia.
C.A.S.E.   *Congresos Arqueológicos del Sudeste.* Cartagena-Zaragoza.
C.N.A.   *Congresos Nacionales de Arqueología.* Zaragoza.
M.J.S.E.A.   *Memorias de la Junta Superior de Excavaciones y Antigüedades.* Madrid.

g) TERRACOTTAS

C. Visedo, *Excavaciones en la Serreta de Alcoy,* M. J. S. E. A.

M. Tarradell, *Catálogo de la colección de terracotas del santuario ibérico de la Serreta de Alcoy* (in the press).

h) CERAMICS

P. Bosch Gimpera, *El problema de la cerámica ibérica.* Madrid, 1915.

J. Cabré, *Cerámica de Azaila.* Corpus Vasorum Hispanorum, I. Madrid, 1944.

I. Ballester et al., *Cerámica del cerro de San Miguel de Liria.* Corpus Vasorum Hispanorum, II. Madrid, 1954.

M. Tarradell, *Avance al catálogo de formas de la cerámica ibérica* (in the press).

List of the reviews or series quoted in abbreviated form:

AEArq.   *Archivo Español de Arqueología.* Madrid.
A.I.E.C.   *Anuari de l'Institut d'Estudis Catalans.* Barcelona.
A.P.L.   *Archivo de Prehistoria Levantina.* Valencia.
C.A.S.E.   *Congresos Arqueológicos del Sudeste.* Cartagena-Zaragoza.
C.N.A.   *Congresos Nacionales de Arqueología.* Zaragoza.
M.J.S.E.A.   *Memorias de la Junta Superior de Excavaciones y Antigüedades.* Madrid.

g) TERRES CUITES

C. Visedo, *Excavaciones en la Serreta de Alcoy.* M. J. S. E. A.

M. Tarradell, *Catálogo de la colección de terracotas del santuario ibérico de la Serreta de Alcoy* (sous presse).

h) CÉRAMIQUE

P. Bosch Gimpera, *El problema de la cerámica ibérica.* Madrid, 1915.

J. Cabré, *Cerámica de Azaila.* Corpus Vasorum Hispanorum, I. Madrid, 1944.

I. Ballester et alia *Cerámica del cerro de San Miguel de Liria.* Corpus Vasorum Hispanorum, II. Madrid, 1954.

M. Tarradell, *Avance al catálogo de formas de la cerámica ibérica* (sous presse).

Liste des revues ou séries mentionnées en abrégé:

AEArq.	*Archive espagnole d'Archéologie.* Madrid.
A.I.E.C.	*Annuaire de l'Institut d'Études Catalanes.* Barcelone.
A.P.L.	*Archive de Préhistoire Levantine.* Valence.
C.A.S.E.	*Congrès Archéologiques du Sud-Est.* Carthagène-Saragosse.
C.N.A.	*Congrès Nationaux d'Archéologie.* Saragosse.
M.J.S.E.A.	*Mémoires du Conseil Supérieur d'Excavations et d'Antiquités.* Madrid.

I. Calvo und J. Cabré, *Excavaciones en la cueva y collado de los Jardines (Santa Elena, Jaén).* M. J. S. E. A. 1918 und 1919.

L. Lantier und J. Cabré, *El santuario ibérico de Castillar de Santisteban.* Comisión de Investigaciones Paleontológicas y Prehistóricas. Madrid, 1917.

g) TERRAKOTTEN

C. Visedo, *Excavaciones en la Serreta de Alcoy.* M. J. S. E. A.

M. Tarradell, *Catálogo de la colección de terracotas del santuario ibérico de la Serreta de Alcoy* (in Druck).

h) KERAMIK

P. Bosch Gimpera, *El problema de la cerámica ibérica.* Madrid, 1915.

J. Cabré, *Cerámica de Azaila.* Corpus Vasorum Hispanorum, I. Madrid, 1944.

I. Ballester et alia, *Cerámica del cerro de San Miguel de Liria.* Corpus Vasorum Hispanorum, II. Madrid, 1954.

M. Tarradell, *Avance al catálogo de formas de la cerámica ibérica* (in Druck).

Verzeichnis der abgekürzt genannten Zeitschriften oder Serien:

AEArq.	*Archivo Español de Arqueología.* Madrid.
A.I.E.C.	*Anuari de l'Institut d'Estudis Catalans.* Barcelona.
A.P.L.	*Archivo de Prehistoria Levantina.* Valencia.
C.A.S.E.	*Congresos Arqueológicos del Sudeste.* Cartagena-Zaragoza.
C.N.A.	*Congresos Nacionales de Arqueología.* Zaragoza.
M.J.S.E.A.	*Memorias de la Junta Superior de Excavaciones y Antigüedades.* Madrid.